CW00401096

De cette époque jusqu'à nos jours

Jean-Marie Meyer

De cette époque jusqu'à nos jours

Essai

ISBN : 979-10-377-7591-7

Préface

Pour avoir pendant des décennies suivit dans ses pérégrinations JMM, son surnom, à travers le monde, à nous expliquer et justifier les us et coutumes de chaque nation, parfois à des années lumières de notre culture française, JMM avait les pieds sur terre, mais toute la terre.

Il fallait pour ce faire relever le défi des immobilismes confortables y compris celui du siège, accepter le défi de la mode et de la création permanente de produits adaptés à chaque culture, accepter le défi de la mondialisation avec ses spectres en cascade, la perte de tous les métiers de main-d'œuvre mais aussi du savoir-faire, être dans la lutte de tous les instants pour optimiser la charge de l'entreprise, avec la saisonnalité imposée des industries de la mode.

Difficile aujourd'hui, la configuration a évolué, nous avons changé le monde, la communication est autre, la connectivité, le progrès, la croissance, les chiffres sont des facteurs essentiels et déterminants de la société dite moderne avec ses multiples réseaux.

C. Laffont

Depuis 2020, nous nous battons avec une pandémie sans pareille qui, de manière sociale, sanitaire, économique, sociologique, a replacé l'individu, l'être humain dans un cadre différent de celui des débuts de toutes les ères modernes ; ceci à compter du XVIe siècle, avec pour issue la remise en place, le recadrage, le replacement de l'individu, de l'homme face à lui-même. Reflétant ainsi son image dans un miroir, il pourra constater les métamorphoses profondes subies.

Hélas, ce n'est guère une nouveauté, même si celle-ci est d'un genre nouveau. Elle était oubliée par l'humanité, ce genre de nouveauté, car dans le passé elle existait déjà, différente, mais également dévastatrice. Elle est aujourd'hui aussi tragique avec ses diverses composantes qui évoluent de manière incontrôlée et hélas exponentielle. Nous pouvons qualifier ces évolutions, ces crises, ces changements de révolutions, affectant la planète entière.

L'individu dès son apparition sur la planète a agi, maîtrisé, et cela dans tous les contextes, s'est érigé en prédateur incontesté, sa faiblesse étant le moteur, la motivation profonde en face des éléments naturels.

Pour cela, il a mis en application un concept basé sur trois thèmes fondamentaux et avec la conjonction de ceux-ci, bâtit des civilisations entières en des lieux différents, en des temps différents, au cours des siècles passés, d'Orient en Occident.

L'homme, l'individu propre a posé son empreinte sur toute la planète, et cela durant des lustres, des siècles. Il a amené des variantes, des métamorphoses selon les lieux, les subordonnant au milieu humain (Fûdo).

Les thèmes constituant le concept de base sont présents sur tous les territoires de la planète. En fonction du lieu, du temps, de la population, de la politique, de la religion, du climat, seuls les degrés d'aptitudes et d'amplitudes des variants composant les thèmes changent. Ils sont conditionnés par les nécessités du moment et de l'endroit. Les facteurs ou plutôt le facteur amenant, véhiculant ces variations, que nous pouvons au départ qualifier de locales, pour devenir nationales, internationales, puis continentales pour finir intercontinentales ; ce facteur se nomme « Communication ».

Cette communication est l'agent, l'outil, le vecteur agissant directement et de manière identique sur la répartition, l'essor, le développement, la stagnation, la régression, le recul au sein du même concept.

Il y a inévitablement entre eux des interactions qui sont inévitables, voire irrémédiables.

Cela signifie soit un essor, une poussée, une croissance ou au contraire une décroissance, une récession, donc un état de crise avec la résultante : les autres éléments, composants, du concept iront en s'adaptant dans le cadre défini, préalablement en place.

L'homme, lui, est à la fois scénariste, metteur en scène, acteur et spectateur.

Les civilisations passées, les civilisations récentes, les civilisations contemporaines ont connu ou connaissent des rythmes différents, les technologies. Hier, les techniques ont évolué au fil du temps, elles aident à la métamorphose selon la vitesse de la communication via ses moyens, ses outils et elle entraînera ladite réaction humaine.

Si aujourd'hui nous sommes dans les années de « l'instantané », de la cristallisation, surtout événementielle, cette relation en relation permanente, quasiment intime, entre les trois composantes qui forment le concept de base, ainsi que les courants internes qui le touchent, le dirigent, le placent, aussi hiérarchise les composants, ce vecteur se nomme : communication.

C'est l'élément de transmission par excellence, sachant qu'il était toujours présent depuis l'aurore des civilisations, même dans les temps reculés, voire anciens.

L'Empereur de Chine envoyait des missives au Doge de Venise, elles mettaient six mois à arriver à destination, sans compter le temps de réflexion pour la réponse, il fallait donc minimum une année complète pour un dialogue, mais dialogue, il y avait…

Notre propos est d'essayer de comprendre, de suivre, d'analyser le cheminement, l'itinéraire et le développement dans tous les sens des termes de chacune des trois parties ; de visualiser et de constater les métamorphoses, les répartitions au sein de ce que nous pouvons qualifier d'atome immuable, cet atome que nous qualifierons de civilisation, et de ses domaines adjacents.

Nous allons de manière naturelle nous référer à l'histoire, au passé. Cela constituera la base des éléments de notre propos, l'ensemble de ces éléments nous permettra d'étudier le présent et d'essayer d'avoir une vision pour l'avenir, le futur, via une très mince lucarne afin d'éventuellement avoir une vue ou plutôt une prévision hypothétique de panels partiels des populations dans ce que nous qualifierons de futur proche.

Il va de soi que cela génère des courants de pensée, des idées, des thèses, des réflexions multidisciplinaires et multiculturelles, sans omettre le multiterritorial. Tous ces éléments auront comme résultante un débordement sur tous les continents. Via tous les continents, un exemple précis est l'ancienne « Route de la Soie ». Il est impensable que nous restions, nous nous cantonnions à notre bon vieux continent, dont sa culture, son art de vivre, sa civilisation ont dominé et essaimé, servi de modèle sur l'ensemble de la planète (de la civilisation gréco-romaine à la Renaissance puis à l'âge romantique puis industrielle).

Tous les continents, toutes les sphères des populations y vivant seront touchés avec comme conséquence et action dans notre monde contemporain une interactivité permanente et au demeurant aujourd'hui instantanée.

Tout ceci est devenu un jeu de cartes ou de dominos, si l'un ou l'une bouge, les autres seront fatalement en mouvement via les actions, les concepts adoptés et les raisonnements adaptés au milieu humain.

C'est ainsi que quelques maîtres à penser sont reconnus, toutefois marginalisés car ne faisant pas partie de l'intelligentsia de bon aloi soit de manière nationale ou internationale. Ils furent ou sont reconnus et oubliés ou rejetés ; ils se nomment : Onfray, Galbraith, Arendt, Finkielkraut, Stiglitz…

Nous pouvons aussi garder en mémoire, prendre et faire référence aux actes, aux visions de quelques grands hommes politiques tels : sir Winston Churchill, le Général Charles de Gaulle, Abraham Lincoln…

Il y a différentes sortes de catégories d'individus :

– Les meneurs ;
– Les laquais ;
– Les suiveurs ;
– Les sans opinion ;
– Ceux que Nietzsche nommait le troupeau (exclus quelques leaders). Ce sont eux les adorateurs, loueurs de l'intelligentsia, les experts en tout genre, les sachant tout, les connaissant tout.

Nos personnages passés ou présents furent, sont, dans une situation présente ou passée où ils furent, sont en opposition avec les idées, thèses, courants idéologiques, mouvements politiques de telle ou telle école ou obédience, de l'économie et de son exploitation du consommateur, selon des lois de marché.

Nous ferons notre possible afin de sortir des soi-disant pensées académiques actuelles et modernes qui orientent les individus en fonction du vouloir des institutions, en suivant les desiderata de cette économie de marché, reine, souveraine et donnant des lignes directrices impératives en agissant sur notre environnement proche et notre perception d'une vision économique, écologique, sociale et politique nettement influencée par les moyens médiatiques disponibles.

Il y a donc une influence certaine, parfois déclarée, le plus souvent sournoise pour influencer notre comportement, notre manière de penser, la mise en œuvre de nos traditions et de nos us.

Tout cela dans un but très simple : nous mettre dans un groupe lambda, amoindrir notre degré de réflexion, de pensée ; en somme, nous crétiniser pour rejoindre la masse intercontinentale déjà installée dans cette doxa.

Il nous sera donc nécessaire pour avoir une idée, une réflexion, une pensée, voire un raisonnement ; il nous faudra sortir des sentiers battus préconisés par nos cadres contemporains et nous référer à notre académisme, aux axiomes de l'histoire, pour ne pas dire du passé. C'est aujourd'hui un terme péjoratif et redondant, voire honni et dévalorisé. Ce que nous allons essayer via notre culture et notre savoir d'oublier, car tels les éléphants nous sommes dotés d'une mémoire que nos concitoyens institutionnels essaient de ramener au plus court terme possible, c'est-à-dire au moment présent : aujourd'hui.

Il nous est demandé d'oublier, il nous est recommandé de ne pas apprendre le passé académique, classique, de ne pas faire référence à l'histoire. C'est un savoir jugé inutile et dérisoire, voire pénalisant et impartial, c'est une culture redondante et dirigée selon les instances actuelles, elle est écartée, mise aux oubliettes, la néo-culture s'en dispense en prétextant que ce sont des divagations de vieux réactionnaires qui restent hors du temps, dans le plus banal sens du terme, donc à la limite du simplisme, la simplicité étant elle aussi écartée car demandant une réflexion quant aux propos et thèses.

Nous utiliserons pour notre part les moyens intellectuels à ce jour disponibles, cela sera toujours une documentation vérifiée ayant comme seul but de rendre accessible à chacun non seulement le moyen d'acquérir mais aussi de permettre aux individus d'avoir une pensée objective et impartiale, de pouvoir présenter cette pensée objective afin que l'exposé soit exploitable et compréhensible pour tout un chacun et transmissible à autrui. Nous allons, pour arriver à cela, explorer les arcanes du temps et de l'histoire.

Nous sommes persuadés de la véracité, adeptes de la pensée de Sir Winston Churchill qui disait : « Sans passé, pas d'avenir ».

Nous allons donc non seulement voyager dans le temps, mais aussi nous serons présents, irons aux quatre coins du monde et de ses civilisations, qui nous sont connues.

Nous en tirerons une ligne de pensées, car le mot synthèse voudrait dire mise en place d'un jugement ; ce qui est contraire à notre volonté. Notre hypothèse sera non seulement économique, mais aussi sociologique, philosophique et sociale ; alors nous en ferons une approche qui sera, nous l'espérons, proche de la réalité humaine.

Albert Camus disait à ce propos : « Supprimer l'espérance, c'est ramener la pensée au corps. Et le corps doit pourrir. Il faut ainsi comprendre que la pensée est créatrice, support de l'homme ; la pensée restera vivante dans tous les cas de figure, malgré la disparition des auteurs, créateurs de celle-ci. »

Nous pouvons ainsi parler de ce que je nomme l'atome humain qui lui contient les trois concepts fondamentaux de toute l'humanité ; ces trois concepts, appelons-les électrons, sont donc dans un ordre chronologique :

– Le travail ;
– L'œuvre ;
– L'action.

Ces trois électrons, phénomènes sont présents aussi bien dans le passé, dans l'avenir que dans le présent de manière irréversible avec une modulation et changement de rapport entre eux-mêmes, créant des réactions différentes…

Nous pouvons évidemment avoir la possibilité d'analyser les rapports entre eux de ces électrons dans le passé et le présent. Cela prend un caractère divinatoire, et dans cette catégorie les prévisionnistes ont des difficultés à nous sortir quelque chose de fiable, même avec l'outil non négligeable que sont devenus les algorithmes.

Il faut que nous regardions la situation actuelle, celle que l'on nomme « l'actualité », les faits. Cette actualité est depuis peu diffusée par une kyrielle (une paire de lustres), qui cerne la planète, sans omettre le nouveau phénomène, celui des réseaux sociaux, et ils sont pléthores, soi-disant cultivés mais bien présents, plus de la moitié de la population mondiale y adhère et génère une rentabilité pour ne pas dire un profit à la limite de la bienséance…

Les médias et les réseaux sociaux s'attardent, se focalisent, se cristallisent essentiellement sur ce que nous nommions hier les « faits divers » ou encore plus crûment « la rubrique des chiens écrasés ». Ils constituent la « Une » d'aujourd'hui, avec une enchère à qui développera au mieux le sujet.

Il nous faut constater hélas que les valeurs se sont inversées, les évènements importants, de fonds, sont le plus souvent dilués dans ce magma de faits divers ; de cette masse, eux, les évènements importants, sont à la peine pour émerger du lot. Et il faut ajouter à cela que dans l'événementiel des médias de toutes sortes les programmes, faits sont répétés, réitérés, serinés sans relâche avec les commentaires avisés de toutes sortes d'experts, qui eux aussi s'empressent à surenchérir afin de gagner de la crédibilité et les médias de grignoter des parts, des points à l'audimat afin de pouvoir accroître les budgets des annonceurs. Quant aux réseaux sociaux, cela se chiffre en nombre de « followers » et d'intéresser les annonceurs dans un bon investissement (spots et slogans touchant un nombre croissant de clients potentiels).

C'est un impératif du système : il faut remplir les écrans ! Les images et les commentaires des experts sont exploités et légions, il y a ceux qui apparaissent sur les médias dits classiques et les « blogueurs » nouveaux experts des réseaux sociaux via les smartphones, les portables et les tablettes. Les blogueurs pouvant eux-mêmes monnayer les fidèles « followers ». Le néo-capitalisme est aux aguets des individus qu'ils peuvent toucher, atteindre par ce biais.

Il faut capter l'attention de la masse : les auditeurs ou les amis (des réseaux sociaux), ceci avec l'aide via les avis, les débats contradictoires, les analyses des spécialistes, qui elles sont faites afin de mettre en valeur les interlocuteurs, les affrontements entre spécialistes donnant l'impression d'une neutralité dans le débat malgré tout orienté. Le tout pour accroître le sérieux de la chose ; le but recherché est d'accroître la sériosité, l'amplification de l'évènement et des polémiques qu'elles peuvent générer.

Ces prétendues informations, soi-disant importantes, voire capitales, sont en réalité des nouvelles de seconde page ou de seconde importance qui ne font qu'entretenir le climat anxiogène permettant de capter la foule, elles ont pour but de retenir l'attention, d'attiser la curiosité, de faire monter l'adrénaline dans une non-superficialité voulue avec la capture de l'audimat.

Pour les médias, elles sont mises en avant, ils doivent tenir minimum 24 h avec le sujet… Ils essaient de mettre le plus en avant possible les faits afin de gagner la bataille de l'audimat, la victoire dans la course au leadership dans l'information est synonyme d'être l'instrument indispensable pour l'individu lambda en comparaison de ces concurrents immédiats. Jamais ils ne tiennent l'audience avec des articles de fond, ils se débrouillent, orientent, pilotent les masses avec des reflets de civilisation tels qu'ils ont été modelés depuis leurs prises de pouvoir, sans garde-fou, sans profondeur, dans l'éclat, dans la finalité d'entretenir le nivellement voulu par les instances dirigeantes.

Ils pilotent, orientent, émettent grâce à des actualités de faits divers des reflets de civilisation très ciblés (selon les continents : racial, religieux, climatique, social, économique, etc.). Seule la surenchère prévaut.

J'ai juste une anecdote : lors de mon premier voyage en Australie il y a des lustres, comme d'habitude j'avertissais mon épouse de ma bonne arrivée, c'était l'usage entre nous.

Mon épouse me précisa : « Attention, fais attention, les forêts brûlent ! C'est Patrick Poivre d'Arvor qui vient de l'annoncer. »

Aussitôt je fis la remarque à William qui me répondit du tac au tac : « Ces feux sont habituels en cette saison, ils s'éteignent sans notre concours… » Je pus aussitôt rassurer mon épouse. TF1 en cette saison d'hiver, été en Australie n'avait rien à se mettre sous la dent.

Avec la surenchère, en mettant en exergue les valeurs dictées pour maintenir le panel des auditeurs, téléspectateurs, des followers ou amis en haleine et sous tension permanente, tout cela avec un maquillage sérieux pour ne pas laisser paraître la superficialité du sujet, le débat d'experts étant là pour confirmer le sérieux de la nouvelle, de l'information. Je me permets de vous rappeler une pensée de Sir Winston Churchill : « Les experts doivent toujours être disponibles sur demande, mais jamais en position de commande. »

Les discours de ceux-ci entraînent des mouvements.

Ceux-ci génèrent, créent, entretiennent les besoins qui en découlent, ils sont recommandés par l'économie de marché, il suffit de voir toutes les publicités, promotions, incitations qui défilent et vous invitent à un comportement civil ! (voiture électrique par exemple…), cela va jusqu'au voyeurisme, où se retrouveront nos véhicules à combustible fossile, hors de notre vue simplement.

Il y a débat, pardon : faux débat, qui va jusqu'à être dommageable à la société tout entière ; le tout savoir, le tout connaître, le tout prévoir et le tout juger, c'est dans l'air du temps, c'est ce genre qui est apprécié aujourd'hui, mis en avant, mis en forme sur tous les supports, pour l'individu lambda la clef institutionnalisée pour l'accession au bonheur de ce que Nietzsche nommait le mouvement « du Troupeau ».

En l'espace d'un demi-siècle environ nous sommes passés de l'information essentielle à l'information de seconde zone. L'information vraie est noyée dans le magma quotidien dont on nous abreuve. Il faut chercher, voire également la décoder, l'information, ceci sur tous les continents (dont la Chine qui filtre politiquement.) Comment en est-on arrivé à ce stade ?

La réponse est dans le cheminement fait par l'humanité depuis les temps anciens avec les accumulations des progrès technologiques et des changements sociologiques.

Grâce au regard porté sur ces évolutions nous pouvons nous permettre de voir les faces éclairées, celles mises en avant encore aujourd'hui, de voir les thèmes d'actualité dans leurs véritables cadres alors que de nos jours ils sont très souvent sortis du cadre vu que les aspects sont autres donc dénaturent les jugements.

Notre mode de civilisation nous a menés, conduits à la crétinisation à outrance, la banalité la plus subversive, avec l'abandon des matières dites classiques et académiques, avec des histoires tronquées, faussées, même rejetées.

Je pense bien aux faits historiques, ainsi qu'à leurs acteurs, reconnus hier, reniés aujourd'hui. Cela va du compositeur de musique classique à l'homme politique créateur et visionnaire d'une mouvance démocratique, nous reviendrons sur ce sujet au moment opportun.

Il faut ajouter à cela ; il ne faut pas oublier que nous sommes en pleine séquence de vagues de pardons, de remords, de courants de culpabilité et de flots d'excuses concernant l'histoire construite par nos ancêtres, de rejets de leurs faits et gestes. C'est un mélodrame à quatre sous.

En suivant ces lignes directrices, pourquoi de ne pas demander par exemple à nos voisins italiens de nous présenter des excuses pour l'invasion faite du temps de Jules César. Nous en sommes là, hélas !

Mais revenons au départ de notre propos, il est un constat effectif : l'humanité a subi des métamorphoses profondes pendant des siècles sous tous les horizons. Cependant dans tout ce déroulement, développement, si nous avons été créateurs, il faut souligner que nous fûmes aussi, sommes encore, prédateurs.

Attention ! loin de moi l'idée que les progrès techniques technologiques et scientifiques (l'électricité, la pénicilline, la fusion nucléaire, l'aéronautique, etc.) sont à proscrire, mais il faut en voir l'utilisation, parfois hélas à des fins destructrices.

J'ai un exemple très simple, presque simpliste, tellement il est criant de vérité et réel. Une branche de ma famille, des grands-parents, vivait après la Seconde Guerre mondiale à la campagne, à quelque vingt kilomètres de ce que l'on nommait la « grande ville », à quelque sept kilomètres d'un gros bourg. Leur village était sur la ligne Strasbourg – Mulhouse, il bénéficiait d'une gare (station) ; le grand-père y était cheminot et s'occupait de ses champs (à mi-temps) et bestiaux (lapins, poules, canards, oies et deux porcs), les paysans s'entraidaient pour les fenaisons et les moissons. La grande fête était le moment où l'on tuait le cochon pour ensuite en faire des salaisons, sans aucun conservateur, des conserves avec les légumes du potager, sans engrais chimique, la chaîne était totalement biologique, en plus les voitures étaient rares. Malgré cela, l'espérance de vie ne dépassait guère 60/65 ans ! Ce fut leur cas.

Aujourd'hui avec notre pollution, notre agriculture poussée et sélective, avec nos dérapages antiécologiques, notre alimentation, notre environnement, notre science, notre espérance de vie atteint les 80 ans et plus…

La science médicale, il va de soi, y a contribué fortement. Le revers de la médaille : notre prédation n'a jamais été aussi intense, et de l'autre côté de la même pièce, la création fait que les progrès et l'évolution font que la survie est presque atteignable, sans à ce jour pas encore l'atteindre, nous ne sommes heureusement pas immortels.

Notre manière de vivre aujourd'hui fait que nous vivons dans l'instantané… Hier, nous lisions le journal, le quotidien local et/ou nous écoutions une fois par jour les nouvelles à la T.S.F. (radio) avec en supplément le dimanche à midi l'éditorial de madame Geneviève Tabouis, puis avec l'avènement de la télévision le JT du 20 heures.

Quelle différence avec aujourd'hui, je me permets de vous commenter via un exemple frappant comment les médias (chaînes infos en continu) crétinisent, abaissent notre niveau intellectuel, notre perception, notre vision de l'évènement et cela devient pour l'auditeur ou le spectateur devant son écran : « Voilà, nous sommes en direct : le sapeur-pompier met le pied droit sur l'échelon de son échelle. Attention, il pose son pied gauche sur l'échelon supérieur… » ou « Nous sommes en direct de l'Élysée… » Là, nous sommes en droit de penser au minimum que nous nous trouvons dans le hall d'entrée et qu'un huissier va venir nous chercher… Hélas nous sommes à une centaine de mètres de l'autre côté de l'avenue Marigny, pas facile de poser une question à quelque interlocuteur, encore moins au Président !

Voilà où nous en sommes, c'est le cas de le dire : réduit à assister en avalant la sauce que l'on nous dispense. C'est l'assommoir 24 heures sur 24 et il est difficile, il faut le reconnaître, de faire la différence entre le nécessaire et le superflu, l'important et le négligeable. Mais, et là je me répète, allons à la source du concept, notre triangle des Bermudes, la trilogie : Travail – Œuvre – Action.

Nous irons en même temps à la racine, à l'origine, à la genèse des faits de société qui de nos jours sont ignorés. Nous allons commencer par le premier côté de notre triangle : le travail.

Le travail

Jamais le travail ne fut une partie de plaisir. L'homme, lorsqu'il entra dans sa condition d'être humain, s'occupa avec ses mains afin de se procurer le nécessaire à sa subsistance, en premier à sa survie. Il cherchera, créera et trouvera des outils ou ustensiles qui évolueront en armes primitives plus tard. Cette évolution lui permettra de fonder les bases d'une sorte de civilisation qui elle-même sera le fondement des nôtres. Il passera, façonnera ces outils, armes : du silex à la hache, de la hache à l'épieu et au feu. Il utilisera également l'individu inférieur et établira une hiérarchie.

Si le travail correspond à la production, l'élaboration puis la consommation des objets produits, en même temps il essaiera de dominer son proche afin de se consacrer à ce qui est le moins pénible. Il évitera ainsi les périodes de fatigue les laissant à celui qui est devenu son subordonné.

Si la glorification du travail fut faite à l'ère moderne par Adam Smith, il devint chez Karl Marx un souci de profit, de rentabilité et de productivité et il remit l'Homme à la place d'animal travailleur, ce qui nous permet de revenir au départ des civilisations et du comportement à l'intérieur de celles-ci.

La comparaison aux discours d'aujourd'hui sur ces civilisations est d'une teneur totalement différente, les propos tenus par ce que nous appelons les institutions sont tronqués, il n'existe pas d'autre vocable quant à la qualification de ce fait. Ce magma est devenu actuellement la cancel culture et le wokisme, les derniers courants à la mode qui se sont aménagés pour aller dans le sens d'amener, d'orienter les individus dans les directions qu'ils souhaitent, c'est-à-dire un néo-socialisme renaissant de ses cendres avec un brin d'écologie et de racisme déguisé en son contraire, le terme de race lui-même étant honni.

Mais focalisons-nous sur le berceau de l'humanité, de l'occident futur qui s'est formé sur les rives du continent africain avec comme aire privilégiée les confins de la mer Méditerranée avec les civilisations égyptiennes, nubiennes, sumériennes suivies des civilisations phéniciennes puis grecques et latines et dans les temps modernes, musulmanes avant l'ère occidentale et moderne.

De la même manière que l'Afrique fut le berceau de l'humanité et de ce fait la génitrice des civilisations futures, elle engendrera les formes et strates de populations comme l'amérindienne, l'asiatique ou l'européenne. Celles-ci se mettront en place au fur et à mesure des courants migratoires.

Si en 1989 le marxisme dit classique est mort avec la chute du mur de Berlin, la gauche classique elle aussi a disparu. La sociale démocratie est obsolète, toutes ses composantes appellent l'être.

Le personnage blanc sera renié via une politique d'éducation nouvelle dûment orchestrée par les institutions et les médias, les universités américaines qui elles ont même avalé, digéré, puisé dans les thèses des penseurs français comme Deleuze, Foucault, etc. évidemment en les assaisonnant à la sauce Ketchup et au mode Burger.

Effectivement, ils furent importés aux USA comme le fut le puritanisme des premiers exilés. Ils furent, sont les signes précurseurs de l'effondrement du schéma Est/Ouest.

De nos jours, c'est tout juste si aussi bien aux USA, en Angleterre, qu'en France tout individu de race blanche ne devrait pas reconnaître dès son entrée en classe maternelle son privilège et s'excuser de ne pas être coloré.

À partir de là, nous sommes en droit de nous poser la question suivante : la politique du pardon est-elle une politique du pouvoir ou une politique de faiblesse, malgré qu'elle soit voulue et organisée. La question est là, présente, posée et évidente, et la réponse ?

Je reviens sur les grands évènements subis par un Churchill, De Gaulle, Kennedy (crise de Cuba). Prenons l'exemple suivant :

« Les petits garçons blancs sont-ils déjà marqués du signe de Caïn (l'assassin, le coupable). N'est-ce pas du racisme à partir d'un postulat pareil, à partir d'une teinte de peau que l'on rejette, avec une extension possible également sur le sexe ? »

Cette discrimination se fait, se réalise déjà au niveau du travail, de l'éducation dans les universités américaines qui sont enclines à la cancel culture et a traversé l'océan pour permettre à ce wokisme de germer dans les universités anglaises et françaises.

Quelle sera la réaction envers ces formes nouvelles de progressisme, de pensées ? Ces nouveaux penseurs, qui sont les héritiers désabusés d'un socialisme décadent, descendance égarée de la chute du Mur de Berlin et de la Pérestroïka, ayant perdu leurs repères, la solution selon eux est de faire un amalgame inavoué comme la cuisson dans une poêle woke. Quel amalgame sans aucun goût à la fin ? Il est important de savoir dans combien de temps ou combien de temps ce courant infestera notre culture, il contamine tout le vieux et nouveau monde occidental dans la lignée du visionnaire que fut Orwell avec ses ouvrages « La Ferme Des Animaux et 1984 ». Quand le bon sens des individus s'éveillera afin de mettre un terme à ce courant de pensée, ersatz raté d'un relent de communisme à la capitaliste ; voyez le paradoxe qui vire au pseudo- socialisme ressuscité de ses cendres passées. Si le maccarthysme bloqua ce courant à ses origines, il réapparaît aujourd'hui avec une étiquette prétendue écologique et antiraciste, tout cela à partir du prétexte que nous obligeons des minorités, toutes les minorités à se plier à nos lois pensées par une majorité antiprogressiste et majoritairement blanche ; cela sans aucune distinction, avec une soumission obligatoire à se plier à nos privilèges et à endosser toutes les responsabilités des situations défavorables qu'elles rencontreraient ou subiraient au niveau de leurs groupes.

Lors de la sortie du deuxième conflit mondial, l'humanité via la Charte des Nations Unies et de ses annexes déclara dans celle-ci solennellement un principe d'égalité des droits des peuples avec une réitération du refus de distinction de toutes les manières envisageables : de race, de sexe, de langue, de religion (confère les articles 1/13/76 de cette même Charte) auxquels il convient d'ajouter l'article 73.

Ce sont des articles qui invitent les populations dans un développement progressif de leurs libres instructions politiques, dans la mesure de leurs besoins et approprié à leurs conditions.

Selon les « wokistes » et les cancel culturistes : les Bach, Mozart, Shakespeare, Jefferson, Franklin, Kant, Einstein, Camus, Schubert, Beethoven, Churchill, de Gaulle, Dostoïevski, Dante sont d'infâmes comploteurs, les éléments dominateurs d'une civilisation ségrégationniste et parcellaire.

Du fait de leurs postulats bien énoncés, ils annulent, ils écartent, ils omettent, ils oublient très vite que l'esclavage a pris naissance dans les terres du berceau de l'humanité, que ce fut un marché florissant pour les Africains, les peuples, les autochtones, et nous-mêmes les Blancs en fûmes au départ absents. En plus, dans l'actualité de tous les jours, ils oublient les violations faites en Chine au peuple Ouïghour, et ne font que rejeter la pierre sur les autres.

Dans la réalité historique, il est vrai que ce mot : « esclavage », aujourd'hui mis en avant dans tous les médias était un vulgaire négoce entre différents peuples noirs. Les Noirs asservissaient, soumettaient et vendaient des Noirs à d'autres Noirs et chronologiquement, dans le temps, eux les vendirent aux peuples arabes, qui à leur tour en firent le commerce dans le bassin méditerranéen, avec comme corollaire une avancée simultanée de l'islam, aussi bien en Afrique qu'au Moyen-Orient. Cela datait du VIIe siècle pour perdurer ensuite. L'espace allait du Sahara à la totalité du Moyen-Orient et du bassin méditerranéen, les négoces de tissus, de sel, de cuivre se faisaient, les trocs avaient en contrepartie les esclaves…

Juste quelques données sur cette triste réalité. Le Mali en tant qu'état limita la traite aux non-musulmans (XVe siècle). Il y avait une véritable organisation des nations africaines subsahariennes et des nations musulmanes périphériques.

La traite négrière, esclavagiste avait comme territoire une superficie qui s'étendait à des pays comme Le Mali, le Ghana, l'empire Songhaï (partie du Sénégal, Niger, Guinée et Burkina Fasso) entre le XVe et le XIXe siècle.

Il y eut 17 millions d'esclaves qui ont été négociés, transportés par des commerçants musulmans vers l'océan Indien, le Moyen-Orient et l'Afrique du Nord ; ceci est de manière sommaire le tableau de la côte Est de l'Afrique du Nord.

Pour la côte Ouest, la traite dite négrière et esclavagiste fut au départ organisée par les Espagnols, puis les Portugais ; ils envoyaient, utilisaient les Noirs à Cuba, Haïti, ils furent exportés depuis Sao Tomé vers le Nouveau Monde. Cette traite connut son apogée au XVIIIe siècle.

Les principaux fournisseurs : l'empire Oyo (actuel Nigéria), l'empire Kong (Côte d'Ivoire plus Burkina Fasso et sud du Mali, sans omettre le peuple Peul et les musulmans), Kasso (avec Tombouctou) et le royaume de Fontu-Toro. Le dernier composant de cette constellation était Kaabu (Gambie, Guinée-Bissau, Sénégal). En fait, toute l'Afrique noire subéquatoriale commerçait avec l'être humain comme matériel. Les peuples noirs vendaient des individus noirs, un négoce international organisé et connu, voilà l'origine rapidement tracée en quelques mots.

Quant à l'Occident non coloré, ils ont simplement emboîté le pas avec le marché de la côte atlantique, Mauritanie actuelle. Le constat est : il y a différentes origines de l'esclavage, mais la genèse revient aux guerres tribales entre ethnies de race nègre au sens strict du terme.

En dépit de cela, dans ce que je qualifierai d'Antiquité classique (gréco-romaine) devancière de l'ère moderne, qui prenait son essor depuis la vallée du Nil, le concept d'esclavage n'était pas usité, l'on avait des serviteurs, des êtres humains que l'on utilisait pour la corvée, le travail, y compris les grands travaux (les pyramides par exemple).

Il nous faut préciser, au sens gréco-romain du terme, ils étaient privés de liberté, de droit civique, ils vivaient sous l'autorité d'un maître ; soit du fait de la naissance, soit du fait d'un évènement guerrier, soit par le résultat d'une transaction commercial ou troc.

Ces différentes situations ont perduré après le VIIe siècle avant notre ère. Mais il faut noter une chose importante, le négoce pur était en ces temps-là écarté. Ces serviteurs pouvaient aussi être à l'origine des condamnés de droit commun avec une possibilité de transmission à la génération suivante.

La civilisation grecque, qui lui emboîtera le pas et posera les bases de notre civilisation future, de notre démocratie moderne qui au départ n'a pas connu les notions contemporaines d'égalité et d'égalité des droits. Les cités grecques avaient chacune un statut, un régime politique particulier et la cité était la cellule déterminante de la vie civile, cette vie civile et publique avait sa hiérarchie propre.

La seule donnée invariable dans tout l'espace hellénique est la notion de travail. Celui-ci sera effectué par des gens sans condition : ce sont des manœuvres, des serfs, des artisans, des ouvriers, des paysans, voire plus… Ce sont des esclaves qui n'ont aucun droit civique dans la cité. Ils contribuent par leur action, la réalisation de leur tâche, de leur travail à la bonne marche sociale et économique, à la Polis (grecque) de ladite société, de la cité.

Ce phénomène perdurera parfois sous des formes différentes jusqu'au servage du Moyen Âge, puis dans les colonies conquises, ce fut cette classe qui œuvra sous l'autorité de la classe dirigeante ; le résultat fut que celle-ci qui devint le Tiers État fut à l'origine de la Révolution française, la soumission à la classe dirigeante fut brisée par cet évènement (pour un temps).

Avec la Révolution française, l'humanité entrera dans une ère nouvelle. Par l'abolition des privilèges, en créant, inventant les droits du citoyen, la France fut pionnière suivie presque en simultané par les nouveaux États d'Amérique fraîchement créés.

À partir de ces évènements, le concept du travail évoluera et tendra vers un principe d'égalité dont la finalité sera officialisée dans la Charte des Nations Unies.

Cette Charte est une invitation à aider les populations de la planète à évoluer, à réaliser, sans aucun ressentiment, en équilibrant l'effort à réaliser, à le stabiliser, à le rendre possible aussi bien dans le temps que dans l'espace.

Si par hasard nous jetons un regard, un œil anxieux, interrogateur vers le passé, force est de constater dans celui-ci une chronologie de l'avènement de nos trois concepts.

En effet dans l'existence de l'humanité, les civilisations aussi bien occidentales qu'orientales en cheminant dans le temps passé, en s'approchant au fur et à mesure de la modernité, les notions de travail, œuvre et action ont évolué non seulement dans leur forme, mais aussi dans leurs activités propres et dans et selon l'activité humaine qui elle également a évolué.

Il est à la fois naturel et humain que les composants de l'activité aient profité de l'évolution que l'on nomme aujourd'hui essor technologique, croissance économique, hier c'était le progrès technique. Ce progrès est maintenant un changement, un bouleversement, une transformation, une métamorphose qui opère, génère une répartition différente de nos trois concepts de base.

Nous n'arrêtons pas d'innover depuis quelques lustres, de changer, d'inventer. Il est évident que toute invention, nouveauté, création amène un côté positif ainsi que le veut toute innovation, mais celle-ci traîne toujours un côté négatif ; prenons quelques exemples :

– Avoir inventé le bateau c'est aussi la possibilité de subir un naufrage ;

– Avoir créé une machine à vapeur, c'est-à-dire une locomotive qui amène l'éventualité d'un possible déraillement ;

– À utiliser la fée électrique peut amener des courts-circuits et ses conséquences ;

– Avoir la possibilité de s'élever dans les airs dans un avion, avoir inventé l'avion, c'est ne pas exclure l'éventualité d'un crash aérien ;

– Pouvoir filer sur une autoroute à bord d'une voiture, c'est laisser la porte ouverte à un carambolage éventuel ;

– Avoir une technologie utilisant le nucléaire, entraîne un risque de pollution radioactive ;

– Avoir la maîtrise des vaccins peut entraîner des effets indésirables et secondaires.

Cette liste est sans limites, il faut simplement intégrer, savoir et accepter que toute création a toujours deux faces, telle une pièce de monnaie avec ses côtés pile et face.

Malgré cela, ces créations, ces innovations amèneront obligatoirement des mesures de prévention quant aux risques encourus, cela induira de manière directe ou indirecte une restriction de la liberté d'action, de la liberté tout court.

Ces innovations n'ont qu'un but : arriver à faire faire par des machines, des engins, des robots, des produits ou fabrications, voire déplacements, en diminuant l'effort que la société ou/et l'individu auraient dû réaliser en ne les ayant pas.

L'essor, la nouveauté, la création technologique ou scientifique apportera toujours un élément positif et changera la proportion des concepts, la répartition entre eux et de manière collatérale le comportement humain.

Mais revenons à la genèse du travail. Il y a au départ aucune valorisation du travail pour l'individu l'effectuant. Cela se perpétua des siècles durant. Lorsque l'engin, la machine, l'industrialisation prirent pied dans la civilisation il y eut un changement comportemental flagrant, le peuple passait d'état d'être corvéable à celui de travailleur, de serf il passait au stade de paysan, d'agriculteur.

L'avancement de la civilisation se fit parallèlement à la croissance de l'économie, l'essor du commerce dans tous les sens du terme ; que cela soit le commerce interne, puis le négoce intracommunautaire jusqu'au commerce externe. C'est-à-dire les relations entre les nations ou les ethnies, ou les lieux géographiques différents. Le commerce, le négoce iront en s'amplifiant, devenant de plus en plus importants. Une partie de la classe des opprimés se verra affranchie, certes elle accomplira encore des tâches subalternes, les mêmes qu'avant, mais dans le but d'avoir la possibilité de substituer celle-ci par une délégation à la classe inférieure nouvellement créée. Elle-même de se faire rémunérer pour la tâche effectuée, le travail réalisé, le négoce conclu.

Quant aux classes dites supérieures, elles se consacreront soit à la politique de la cité, soit à l'art, le temps venant à manquer pour ces tâches considérées comme subalternes (travail, etc.). Mais la nécessité de les mener, de les réaliser, de gérer en même temps celles-ci et leurs penchants quotidiens (politique, art.) a amené la facilité de l'affranchissement et de l'installation d'une classe rémunérée.

Il faut toutefois faire une distinction et identification et cela est absolument nécessaire du labeur, et de son authentification ; Nous sommes en droit de nous poser la question suivante : y a-t-il une différence fondamentale entre un labeur et un travail, un ouvrage et toutes les qualifications qui y sont subordonnées ?

Oui, malgré que l'élément répétitif soit présent dans les deux cas. Le labeur est imposé, le travail est choisi. La répétition quant à elle se fera aussi bien dans le consommable que dans l'artisanal exemple la réalisation du pain dans l'agriculture (toute la chaîne du paysan au boulanger), dans l'artisanat : la réalisation d'une porte, d'une chaise ou table ; l'itération est omniprésente pour les individus concernés.

L'œuvre

L'œuvre est dans un premier temps à ne pas considérer comme une œuvre artistique dans sa genèse, le pas n'est pas encore franchi. C'est l'installation dans le temps d'une réalisation par le travail pour être intemporelle.

Ainsi, au sein de l'empire gréco-romain, malgré la différence évidente de l'œuvre par leur travail, exécution, création elle ressemble à un bien consommable, un service, le résultat d'un artisanat ; ils étaient tous des biens mobiliers.

Il y avait une hiérarchie dans la servitude, cette hiérarchie ne concernait que la classe des travaux à exécuter et ne conférait aucun statut spécial ou spécifique aussi bien à l'exécutant qu'à sa réalisation. Il pouvait être menuisier, régisseur, sculpteur, architecte, médecin ou musicien voire juriste. Ceux qui avaient la possibilité d'assumer dans la hiérarchie la catégorie de travail supérieure étaient dans la plupart des cas des prisonniers issus des guerres et d'origine grecque, égyptienne ou du bassin méditerranéen.

Les autres, ceux qui étaient occupés par la branche artisanale, la domesticité, en fait tous les travaux annexes étaient des esclaves de rang inférieur. Les citoyens de la cité se réservant tout ce qui avait trait à l'art, à la culture, au foncier, à la conduite de la politique et à l'intellectuel.

Il y avait à l'intérieur de la classe inférieure des esclaves aussi une hiérarchie, ils étaient issus en majorité des prisonniers faits lors des guerres du Nord, ils étaient celtes, germains en majorité. Leurs tâches allaient du simple manœuvre au labeur répétitif de l'artisan, cela dans le mépris le plus total ; contrairement à la glorification du labeur exécuté et effectué dans les temps industriels où les travailleurs se voyaient être attribués d'une qualification et reconnaissance dépendante de l'essor industriel moderne.

Toutefois, il y aura une distinction faite entre le travail manuel et le travail intellectuel. Sous l'Empire romain la bureaucratisation sera plus conséquente et amènera avec l'extension de l'Empire une valorisation de ces services dits intellectuels, avec une glorification du labeur, les Romains se trouvèrent en porte à faux et devaient moderniser les services dans la mesure où l'intellectuel n'est pas ouvrier.

Il faut ajouter à cela la durée d'existence de l'objet réalisé soit matériel, soit immatériel, voire intellectuel, il sera selon sa classification, son exécution entre labeur, travail ou œuvre un facteur de glorification.

Les Grecs, eux ils étaient dans le mépris du travail et loin de la glorification de celui-ci comme dans les temps modernes (Karl Marx). Dans ces temps proches de l'ère contemporaine, ère dans laquelle il y avait une exaltation de la part des travailleurs eux-mêmes. L'œuvre quant à elle dépassait la vie du travailleur, elle se métamorphosait en objet intemporel à l'opposé des biens éphémères qualifiés de consommables, ces biens consommables signifiaient leurs morts dans la durée de leurs vies extrêmement courtes par rapport à l'œuvre, car même si elles n'étaient pas consommées elles disparaissaient d'elles-mêmes.

Les critères de jugement de l'activité humaine étaient de manière générale essentiellement politiques, même s'il y avait un semblant de respect dans la vie de la cité, vie sociale et privée. Aussi lorsqu'on était architecte, médecin, scribe ou charpentier ; l'existence différait. Nombre de métiers étaient considérés comme sordides quant aux plus utiles des métiers : les cuisiniers, les pêcheurs, les charcutiers, ils étaient attribués d'une qualification encore pire, proche de zéro.

La solidité de la civilisation, du monde humain reposait sur le fait indéniable que nous sommes entourés de choses durables, d'œuvres. Une autre différence de l'œuvre avec le travail, l'œuvre a par essence un phénomène de durabilité supérieur à une création du travail qui elle sera usée et que l'œuvre nécessitera une part plus ou moins conséquente de travail pour sa réalisation. L'œuvre a une origine artistique, quoiqu'elle peut le devenir par destination, c'est le cas du Colisée à Rome, des pyramides d'Égypte et autre Parthénon.

Le fait marquant dans l'œuvre antique est que la main de l'homme est perceptible, indispensable, elle servait à l'usage et la contemplation, le travail primordial était issu de la terre, il y avait transformation de celle-ci.

Ces œuvres produites par l'activité humaine, cela débouche à la création d'un monde dans lequel nous vivons, elles forment tout l'univers de l'artifice humain.

À ces deux champs de notre modèle de civilisation, le travail et l'œuvre, vient s'ajouter un troisième complice, compère qui est la façon de réaliser et générer en parallèle une résultante qui est indispensable à la réalisation des deux champs précédents avec une complémentarité obligatoire.

Je vais me permettre un détour ou plutôt une avancée qui restera dans le contexte de mon propos : le travail, l'œuvre et l'action amèneront la métamorphose de la structure de la civilisation jusqu'à ce dont nous pouvons témoigner aujourd'hui, non seulement nous sommes les témoins mais aussi les acteurs.

Tout en restant dans notre sujet, je vais vous livrer des extraits du discours de monsieur Alexandre Soljenitsyne, celui qu'il fit à Harvard en juin 1978. Nous pourrons nous y référer et en débattre ultérieurement, cela viendra de soi et se fondra dans nos futurs propos. Ce discours réjouira quelques autres grands penseurs et trouvera sa place dans une vision identique à la leur, ils seront condisciples.

Alexandre Soljenitsyne (Harvard 1978) :
« Le déclin du courage est peut-être le trait le plus saillant de l'Ouest, aujourd'hui pour un observateur extérieur.

Le monde occidental a perdu son courage civique, à la fois dans son ensemble et singulièrement, dans chaque pays, dans chaque gouvernement, et dans chaque couche intellectuelle dominante et bien sûr aux Nations Unies…

Quand les états occidentaux ont été formés, un détail a été omis ; détail psychologique : le désir permanent d'avoir toujours plus et d'avoir une vie meilleure, cette compétition active et intense finit par dominer toute pensée humaine et n'ouvre pas le moins du monde la voie de la liberté du développement spirituel… »

La société occidentale s'est choisie la plus appropriée à ses fins : une organisation que j'appellerai légaliste, cela a comme résultante la paralysie des élans les plus nobles de l'homme.

Un homme d'État qui veut accomplir quelque chose éminemment constructif est exposé aux traits du Parlement, de la presse, un homme exceptionnel qui aurait des projets inhabituels et inattendus n'a aucune chance de s'imposer, la médiocrité triomphera sous le masque des limitations démocratiques…

La presse bien sûr jouit de la plus grande liberté. Mais pour quel usage !

Quelle responsabilité pour le journaliste ou son journal ?

En cas d'erreur ont-ils exprimé quelques regrets, non cela porterait préjudice aux ventes…

La presse a le pouvoir de faire passer des terroristes sous la bannière des héros, de divulguer des secrets d'État, toujours en vertu du slogan : « Tout le monde a le droit de savoir. »

Le mode de vie occidental apparaît de moins en moins comme modèle directeur, il est des symptômes révélateurs par lesquels l'histoire lance des avertissements à une société menacée ou en péril, ils sont : le déclin de l'art, le manque de grands hommes d'État.

Mais ce déclin a commencé. L'Occident a décliné de son pas triomphal à sa débilité profonde, comment a-t-il fait.

À partir du siècle des Lumières dont sont issues les doctrines de base sociale et politique que l'on peut nommer humanisme rationaliste ou autonomie humaniste : l'autonomie proclamée de l'homme à l'encontre de toute force supérieure à lui, l'homme s'est mis au centre de tout.

Il est impératif que nous revoyions à la hausse l'échelle de nos valeurs humaines…

Sa pauvreté actuelle est effarante. Il n'est pas possible que l'arme qui sert à mesurer l'efficacité d'un président se limite à la question : combien d'argent peut-on gagner ou la pertinence de la construction d'un gazoduc (G. Schroeder).

Ce n'est qu'un mouvement volontaire de modérations de nos passions, serein et accepté par nous, que l'humanité peut s'élever au-dessus du courant de matérialisme qui emprisonne le monde.

Quand bien même nous serait épargné d'être détruit par la guerre, notre vie doit changer si elle ne veut pas périr par sa propre faute.

Nous ne pouvons nous dispenser de rappeler ce qu'est fondamentalement la société.

Est-ce vrai que l'homme est au-dessus de tout ?

N'y a-t-il aucun esprit supérieur au-dessus de lui ?

Les activités humaines et sociales peuvent-elles légitimement régler par la seule expansion matérielle ?

A-t-on le droit de promouvoir cette expansion au détriment de l'intégrité de notre vie spirituelle ?

Si le monde ne touche pas à sa fin, il atteint une étape décisive dans son histoire, semblable en importance au tournant qui a conduit du Moyen Âge à la Renaissance.

Cela va requérir de nous un embrasement spirituel. Il nous faudra nous hisser à une nouvelle hauteur de vue, à une nouvelle conception de la vie, où notre nature physique ne sera pas maudite, comme elle a pu l'être au Moyen Âge, mais, ce qui est bien plus important, où notre être spirituel ne sera pas non plus piétiné comme il le fut à l'ère moderne.

Notre ascension nous mène à une nouvelle étape anthropologique.

Nous n'avons pas d'autre choix que de monter… toujours plus haut. »

Après ce bel aparté, encore aujourd'hui bien réel et d'une actualité flagrante ; effectuons un retour dans notre passé et revenons à notre civilisation mère gréco-romaine qui nous a donné les définitions à la fois théoriques et pratiques du travail et de l'œuvre. Celles-ci se réalisent, se matérialisent, se font par la mise en place de l'action : le troisième volet, élément incontournable de notre concept de base.

En faisant suite au travail qui exprima une activité vitale et, dans la continuité, l'œuvre également exprimera une activité productrice : l'action. Elle est toujours sujette à un accompagnement de l'une des deux activités, indispensable à la réalisation, elle est dans l'impossibilité d'être dans un isolement ou mise à l'écart, il agit toujours pour et avec ou contre de manière individuelle ou politique.

La fabrication, le travail, la mise en œuvre, l'œuvre sont entourés par la présence d'individus, l'action est la partie véhiculante de la fabrication, elle se fait par la communication avec autrui, l'action peut être générée par une seule personne, elle peut aussi être véhiculée par un groupe, un pluriel différent d'individus qui accepte au départ l'idée émise, la réalisation à faire, c'est à eux qu'ils incombent, c'est eux qui finiront ce que l'initiateur, le créateur avait projeté, programmé, désiré et souhaité, ces différents degrés montrent la complexité de la création.

L'action est la résultante de la volonté d'un individu ou d'un collectif, elle peut être autorisée, morale ou amorale et défendue ou illégale, toutes les séquences peuvent être possibles et imaginées.

Si l'action est la nécessité pour la mise en œuvre de la réalisation du travail ou de l'œuvre, il est obligé de constater que des éléments s'imbriquent les uns dans les autres et seule la durabilité fera partie de la différence avec la consommation de l'ouvrage réalisé.

Une sculpture, une peinture n'auront pas le même temps que la réalisation d'un pain, d'une table, une chaise ou d'un ensemble monumental (… L'Acropole par exemple…). Une chaise durera tant qu'on l'entretient, un pain le temps de la consommation, une œuvre si l'homme ne la détruit pas : des lustres ; voire quelques siècles…

La nature, elle usera afin que les objets reviennent à leurs origines, le facteur temps pouvant et sera disproportionné, entre le bois et la pierre…

Une différence fondamentale entre l'œuvre et le travail : le travail fournit l'indispensable, l'essentiel, la substance et la subsistance, l'œuvre n'effleure aucun de ces domaines, elle contrera les cycles biologiques, elle est pensée, créée, faite pour perdurer. Perdurer amène une destination définitive d'une infime partie de la nature : la statue dans le parc, la pyramide de Khéops, contrairement à une symphonie dans un auditorium, c'est un moment d'éclat, fugace ; elle peut aussi amener à une destruction définitive d'un élément naturel (bois, terre, granit ou marbre, etc.). Là l'homme redevient, s'érige en prédateur primeur.

Nous voici au seuil de l'évolution de la civilisation en partant de l'origine, c'est à dire la civilisation gréco-romaine en la suivant chronologiquement jusqu'à nos jours.

Cette évolution s'est faite en modelant les trois étapes de l'humanité (nos atomes du triangle) qui sont incontournables et sont : le travail, l'œuvre et l'action.

Nous verrons en avançant dans le temps les curseurs se déplaceront, avec l'arrivée de la modernité dans la civilisation post « Lumières » qui elle deviendra au fur et à mesure préindustrielle puis avec l'avènement de la vapeur puis de l'électricité une civilisation industrielle jusqu'à devenir notre civilisation contemporaine.

Le chemin sera long entre le travail dit unique et l'époque du travail dit collectif et contemporain. L'homme assurera d'abord tous les travaux, puis malgré lui il y eut durant la période évolutive des spécialisations de plus en plus poussées, mettant en péril le travail dit universel. La personnalité individuelle tendra à se spécialiser avec des travaux spécifiques, spécialités non valorisantes avec de moins en moins de savoir-faire.

Si au sein de la cellule familiale il y a la conservation de l'unité de travail, le christianisme lui fera éclater le travail collectif et préfigurera les temps de l'ère moderne avec la création des cathédrales et ses corps de métiers multiples qui y travailleront.

Il y aura ensuite dans le travail et dans l'œuvre la division de ceux-ci et la mise en place de la reproduction dite productive pour atteindre l'objet final. C'est-à-dire la perte de l'unique et la répétition illimitée du geste dans la plupart des cas. C'est là que l'ère moderne et industrielle a abouti, cet aboutissement est arrivé à son comble avec la taylorisation mise en œuvre par Henry Ford… Un facteur important dans l'évolution des métiers et des matériaux, des objets et des instruments, des machines et des engins, des pensées et des philosophies humaines, un des vecteurs les plus importants se nomme communication et celle-ci amena une fidélisation, une copie conforme à l'original aussi bien dans le style, la beauté, la durabilité, la couleur, et autres critères visuels et qualitatifs avec une reproduction à l'infini.

Ces situations font souvent état de la perversion des fins et des moyens de cette, dans cette société moderne où les humains, eux deviennent les esclaves des machines qu'ils ont conçues, qu'ils ont inventées, qu'ils ont créées pour eux-mêmes, pour ne pas dépendre du travail, à la place de trouver le moyen de les mettre au service de l'homme dans une liberté ne les enchaînant pas à leurs créations, car la résultante le travail est dévalorisé et l'être humain est contraint de s'y plier.

Aussi paradoxale que cela puisse paraître le travail exige dans ces conditions une exécution rythmée dans le mouvement d'un travail réalisé.

L'œuvre quant à elle, elle n'est nullement assujettie à cela. Si les outils qui sont utilisés et servent à la manufacture de l'œuvre, ils restent les serviteurs de la main, qui elle dompte la matière à la force et l'agilité des mains, c'est l'artiste qui dompte la matière à un rythme que lui-même définit. Le rythme est donné par le créateur, l'artiste et apparaît lors de son achèvement et reste présent dans l'œuvre finie.

Nous allons volontairement sauter quelques siècles et nous intéresser à la période du Gilded Age américain (Fin 1900) et notre Belle Époque européenne (jusqu'en 1914…). Dans ces années-là, tout se mélange : l'Exposition universelle, l'assassinat du président Carnot, l'affaire Dreyfus, la création du cinéma, la découverte de la radioactivité (1896), la traversée de la Manche par Blériot, la loi de 1905, et la tour Eiffel ; de l'autre côté de l'Atlantique, cette période dorée fut propice à l'avènement des « Robber Barons » tels J. D. Rockefeller, J.P. Morgan, Meyer Guggenheim, Andrew Carnegie et d'autres, avec la création de l'ampoule électrique par Edison, le chemin de fer transcontinental (Est-Ouest en 6 jours à la place de 6 mois sur le trajet Chicago – San Francisco), la création du Wall Street Journal et l'assassinat du Président Abraham Lincoln.

Cette classe des « Robber Barons » assure leurs fortunes sur l'exploitation de la classe ouvrière et la démocratie, ils furent d'un côté « voleur » de l'autre côté « philanthrope ». Un Rockefeller, un Carnegie comptèrent parmi eux et l'économie américaine dans ces années-là dépassa de loin celles du Vieux Continent avec un P.I.B. nettement au-dessus des valeurs européennes.

Le travail connut, effectivement une révolution dans la manière de procéder, Henry Ford applique le taylorisme à fond et si l'esclavagisme a été officiellement aboli, dans les faits l'ouvrier américain avec cette révolution se trouve dans une situation de servilité, un facsimilé qui reproduit le processus mécanique d'un esclavagisme des temps modernes, l'ouvrier était devenu un répétiteur de la manière la plus abêtissante d'un geste constituant une partie infime d'un puzzle qui constituerait le produit final, il était au niveau d'une machine qui elle dans le futur fera également ces gestes de manière interminable (« Les temps modernes », C. Chaplin).

Tout est mis en application afin que l'humain soit dans les premiers temps de l'ère industrielle sous la dépendance, à la disposition du capital. Le capital fera que l'individu sera de plus en plus dépendant de sa prospérité en lui amenant sans cesse de nouveaux besoins. Tout le travail, sa mythique, son esprit s'organiseront autour de cette production : à rentabiliser et assouvir celle-ci afin de pérenniser le capital et son profit. La valeur humaine n'apparaît pas dans ce cycle, dans cette monotonie d'un travail sans valeur propre, l'humain est seulement un pion sur l'échiquier de la production et celui de la consommation. Il y a une acceptation très grande de cet état de fait, ce travail répétitif, ceci à la grande convenance de l'ouvrier ne demande aucun effort intellectuel, aucune réflexion, aucune concentration : juste un geste pour lequel il est rémunéré, il s'agit là d'automatisme et de paresse, sans oublier la survie et la subsistance.

Avec un rapide retour en arrière nous retrouvons bâtisseurs des Pyramides de l'Égypte Ancienne, qui les uns tiraient, les autres hissaient, les troisièmes sculptaient et les suivants qui ajustaient les blocs de pierre, jusqu'aux esclaves noirs dans les plantations de coton dans les états du Sud avant la guerre de Sécession…

C'est la démonstration d'une cyclicité indéniable à travers le temps et l'espace, l'on revient toujours à l'exploitation de l'individu par l'homme et la mise en place au fur et à mesure de la machine pour remplacer l'individu devenu non nécessaire.

Les deux : la machine et l'homme sont propriétés du capital.

Nous atteignons là l'absurde : en effet l'homme est avide de liberté, pour l'accession à celle-ci il utilise son intelligence, il invente la machine et les processus techniques nécessaires et en final celle-ci ne fait que le dominer, l'abêtir, l'asservir par tous les moyens et sous toutes les formes possibles.

Nous avons succinctement résumé la situation, l'évolution du travail depuis l'époque classique (gréco-romaine) jusqu'à l'aube du XXe siècle. Si les termes employés changent, la structure et le schéma sont à l'identique : il y a le maître et le serviteur (l'esclave…) et le serviteur veut devenir le maître et faire du maître le serviteur (cf. *Le Mythe de Sisyphe*/Albert Camus).

Ce tableau peut paraître monotone, voire morose ou déjà entendu, il n'est pas vain de le remettre d'actualité étant donné qu'il est juste réel et nous permettra de faire la différence avec le deuxième élément de notre atome (triangle), ce deuxième pion que l'on appelle « Œuvre ».

Si nous avons dans le travail indéniablement un processus répétitif, au départ dû à l'exploitation de l'homme par l'homme, même avec une rétribution du labeur, dans l'hypothèse de l'œuvre il n'y a pas de répétition par postulat une œuvre est unique ; elle l'est par destination, c'est un jet, une impulsion, une idée, l'objet d'une création dont la grandeur est variable et les supports très différents, variables.

Le père de l'œuvre est son créateur, il est à son origine, il la met en forme, il la sort du néant, à partir d'un ressenti, d'une impulsion créatrice captée par l'auteur et mise en œuvre.

L'œuvre en soi n'est pas consommable comme un simple produit du travail, elle est à contempler, à lire, à écouter. Elle fera naître des sentiments, les créera chez ses admirateurs, elle perdurera au-delà de la durée de vie du créateur et des premiers admirateurs qui seront remplacés par la génération suivante, etc.

L'œuvre peut être la réalisation d'une seule personne. L'artiste peut faire appel à une équipe d'artisans qui agira selon sa volonté et ses directives, les desiderata seront suivis du début à la fin, quoiqu'ils puissent évoluer en fonction de l'état d'âme du créateur, il sera obligé pour parfaire son œuvre d'utiliser la communication.

L'œuvre a une destination spirituelle, plus ou moins mystique, axée vers la beauté, elle ne subvient à aucun besoin dit essentiel, elle est dans la superficialité, dans la durabilité, même si les éventuels membres de l'équipe peuvent être dans l'éphémère (membres d'un orchestre philharmonique par ex.), dans la réification de celle-ci.

Certes il y a du travail dans l'œuvre, il y a aussi obligatoirement une gestuelle, que ce soit chez l'écrivain, le compositeur, le peintre, le sculpteur, elle continue dans les arts abstraits comme la danse, le chorégraphe a des notes, le comédien ou le chanteur connaît son texte par cœur, autrement la matière grise mise en action est constituée par une transformation, une métamorphose d'un élément naturel (terre, pierre, bois…) pour devenir un objet identifiable. L'œuvre a un début, un commencement, mais sa fin est imprévisible, celle-ci sera dû à un élément destructeur majeur : l'eau, le feu, sa destruction volontaire ou par un évènement guerrier, sa fracture… Il y a également à faire la différence entre une œuvre primaire et une œuvre par destination. J'entends par là un tableau, une sculpture, un roman, une œuvre symphonique parmi les exemples et l'édification d'une cathédrale, d'un temple grec, d'une pyramide égyptienne pour les autres exemples. La communication sera plus importante dans le deuxième cas de figure, elle amènera à l'unicité de l'œuvre et sa durabilité.

L'œuvre fait appel aux techniques du travail en allant du plus simple au plus complexe, et si la répétition s'avérait utile, elle serait éphémère, le temps de la création de l'œuvre, ensuite elle s'évanouirait, elle disparaîtrait.

L'œuvre une fois existante aura une valeur intrinsèque dite artistique, elle n'aura aucune échelle dans les valeurs, les coûts, elle sera totalement subjective et à la genèse qui sensibilisera uniquement ceux qui sont atteints, l'œuvre n'est pas faite pour servir, être utilisée pour la consommation : non, elle est créée pour perdurer et par postulat elle est inutile à la survie, elle est dans un monde parallèle.

Que ce soit le tableau, la symphonie, la sculpture, le roman ils sont plus qu'une simple production, ils sont matériels, ils sont spirituels, ils ont subi des transformations, des métamorphoses et sont tous issus de l'esprit d'un créateur, le domaine est immense, il frôle en permanence l'immortalité par destination, il en est ainsi pour l'écriture, la peinture, la poésie, la danse, la musique, la sculpture et autres œuvres.

Dans toute œuvre, il y a la singularité omniprésente du créateur, sa patte, sa griffe, son style, sa sensibilité avec tous les moments de souffrance qui ont émergé durant la création et l'élaboration de celle-ci et que l'on pourra ressentir à travers elle.

Aucune machine, aucune intelligence artificielle ne pourra se suppléer à une création artistique, elle dépassera toujours tout ce que l'intelligence artificielle pourra créer, amalgamer, il lui manquera le brin de singularité, de cliché du particularisme de l'artiste, l'œuvre sera toujours une partie infime de l'âme de son créateur à un moment donné, elle est unique et le sera et le restera dans l'avenir car elle est définitivement inimitable donc impossible à reproduire.

L’action

Mais ni l’œuvre ni le produit du travail ne peuvent être réalisés sans ce troisième facteur, vecteur : l’action.

L’action, elle est en fonction de la charge à effectuer soit collective, soit solitaire. Elle aura aussi évolué dans et avec le temps en suivant l’évolution de la civilisation : la chasse en groupe, la construction en groupe, mais pourra aussi être solitaire, que ce soit dans le travail, d’autant plus dans la création artistique. Au fil du temps cette action restera, demeurera essentiellement manuelle dans l’art et évoluera avec l’arrivée des machines dans le travail (sauf les arts que je qualifierai de lourds comme la sculpture, l’architecture dans la phase construction).

L’écriture, la composition, la peinture requièrent une action solitaire, d’autres comme la chorégraphie, la musique, la sculpture demanderont selon le désir du créateur une mise en place d’un collectif.

Il est dans la croyance populaire, celle de l’individu lambda : que l’homme est seul contre tous…

En complément de l’un ou des deux facteurs : travail et création l’action est obligatoirement différente et même en cas d’union des deux elle sera en deux parties très distinctes.

Dans le processus de développement de l'action la première partie de l'œuvre est initiatrice, est issue du vouloir de la volonté du créateur dont il est le père et lui seul.

Dans la deuxième partie, nommons cela la phase de la construction de l'élaboration, de la réalisation, cette phase peut être soit personnelle, soit avec un collectif, l'objet terminé sera irrémédiablement fait à partir d'un collectif, rien qu'à partir de la nécessité de disposer de matériaux (le bois, la pierre, l'imprimerie, le papier, l'acier et tout le reste…). Il y aura toujours des comparses dans leurs actions tout autour de tout produit, objet ou œuvre.

La naissance de l'action se fera par le verbe et par le geste. C'est le début, l'origine de la réalisation du travail ou de l'œuvre. Dans ce commencement il y aura la nécessité de la parole, d'une manière ou d'une autre, c'est une manière de communiquer, le père de l'action ne peut pas rester en totale autarcie, il lui faut des instruments, des éléments matériels, des outils ou ustensiles, cela va du crayon au papier, de la toile à l'encre, des couleurs à l'instrument de musique, de la pierre à la banale machine à écrire, aujourd'hui c'est le portable, il y aura dans tout ce puzzle d'éléments forcément un moment de communication, ne serait-ce qu'au moment de l'acquisition des moyens, donc collaboration obligatoire avec autrui et moyen de communication orale ou écrit.

Cet évènement se déroulera de manière totalement libre pour l'auteur, le créateur, il ira choisir, élira ses nécessités en fonction de ses besoins et cherchera le moyen de les combler via une communication bien établie. Ainsi il aura la possibilité de mettre en chantier via l'action son envie, désir de créer et son ouvrage pourra voir le jour.

Il optimisera la communication afin d'être dans une coordination parfaite, la plus juste et avec le spectre le plus large possible afin de ne pas brider la création à réaliser, son œuvre sera toujours dépendante de l'action, la sienne ou celle des interlocuteurs, intervenants concernés, qui eux seront également des acteurs du projet final, qu'il soit unique ou multiple (sculpture de Calder par exemple).

Rien n'est imposé, tout est volontaire avec naturellement l'insertion de la parole dans ce monde humain très particulier, le monde du créateur de l'initiateur qui va devenir le monde de l'objet à créer et de son proche environnement (c'est le cas de toute œuvre exécutée, le travail étant le facteur.)

L'altérité de l'action est dépendante de l'ouvrage projeté, il n'y a aucune unicité, même entre des œuvres similaires faites par le même artiste. Le support et la communication évolueront aussi selon les conditions et le temps, ainsi que l'espace de sa conception, les mœurs et usages seront de la partie avec le concours des populations concernées : admirateurs, spectateurs, auditeurs ou lecteurs.

Il y a de manière primordiale présente dans toutes les civilisations, des plus primaires aux plus évoluées, une transmission au départ orale, l'action se fera à partir de cela, que cela soit un apprentissage, une recommandation, un ordre, un enseignement, cette transmission peut même prendre le nom d'école, de courant, etc.

Dans des civilisations telle la civilisation gréco-romaine la transmission, la communication pourra être réalisée, faite, il en va de même avec la civilisation égyptienne via des papyrus, des manuscrits, des parchemins ; au Moyen Âge, puis passera à l'ère chrétienne via l'invention de l'imprimerie aux livres qui amènera une multiplication de la réception (romans et fables par exemple…)

À la veille de l'ère moderne, lors du Gilded Age et de la Belle Époque il y eut un essor considérable des moyens de communication. En quelques décennies ce fut une véritable révolution, en effet les temps modernes ont vu apparaître le sémaphore, puis le télégraphe, la radio dite T.S.F., puis la télévision, la Première et Deuxième Guerre

Mondiale ajoutèrent leurs contributions à cet effort créateur. Cette progression allait devenir exponentielle, les parties travail et œuvre allaient être bouleversées.

À l'autre bout de la chaîne, le maillon humain, et cela se fera au fil du temps, l'homme, l'individu continuera à jouer le rôle d'initiateur, de découvreur, et cela dans toutes les circonstances qu'elles soient de paix ou de guerre.

Inévitablement, le stade suivant de l'initiation est l'action.

Cet acte qui est l'action est soit solitaire, soit collectif. Il engendrera une légitimité ou une illégalité, une morale ou immoralité, salvatrice ou destructrice, tous les scénarios sont envisageables.

Toutes les options sont admissibles et recevables dans l'espace-temps qui lui n'enregistrera que les séquences de l'action.

À l'origine de l'action, un individu, en l'occurrence l'auteur, amène de manière irrémédiable deux questions fondamentales qui demanderont obligatoirement des réponses :
Qui es-tu ?
Que fais-tu ?

C'est le registre indispensable, c'est la portée sur laquelle l'action va s'élaborer, se construire et être menée à bonne fin.

Ces deux questions résisteront à l'usure du temps, aujourd'hui elles sont encore d'actualité, peut-être davantage vu la part considérable prise par la communication et les moyens qu'elle déploie de nos jours.

Quant à l'action, elle aura la nécessité de se différencier de la création, de la fabrication, de la mise en place du travail ou de l'œuvre ; ils ne sont jamais possibles dans l'isolement, être isolé c'est être privé de la faculté d'agir.

La parole et l'action veulent, nécessitent de l'entourage, de la présence d'autrui, de la même manière que la fabrication, la mise en œuvre manifeste le besoin de matériaux présents dans la nature. La société actuelle fera tout pour que la mise en œuvre soit entourée par le monde, afin de pouvoir y placer ses produits avec une destination finale : « vous » par l'exploitation ou la consommation.

En même temps le contenu spécifique, le sens général de l'action de la parole peuvent prendre diverses formes de réification dans les œuvres qui glorifiaient le travail réalisé.

Cependant, cette glorification ne peut avoir lieu qu'avec l'apport de l'environnement, c'est-à-dire des autres qui permettent la matérialisation spirituelle de ce que l'on qualifie d'œuvre d'art. Le processus de mise en place à un degré inférieur vaut pour l'objet réalisé par le travail, dont l'un des facteurs variables est la non-immortalité, la durabilité restreinte.

L'action, sa mise en place, amènera une métamorphose des éléments qui l'approchent : soit matériellement, soit spirituellement en plus elle n'est jamais inoffensive, elle peut aussi être encadrée par des institutions ou des affaires dites humaines (mécénat, sponsoring…)

Dans le contexte actuel, nos trois valeurs voient leurs rapports, leurs intensités varier. Au centre du noyau de cette formation, de ce corpus immatériel, il nous est permis de constater une dévaluation pour les uns, un accroissement pour les autres. En reprenant ces valeurs et en effectuant un classement, nous serions dans l'obligation de constater un renversement conséquent dans la hiérarchie en raison de la place prise, de l'importance par rapport au temps passé, dans la réalisation et dans la réflexion d'avant la mise en œuvre : l'individuel se fragilise, l'œuvre perd de l'audience et l'action communautaire issue de l'économie de marché et du capitalisme de surveillance s'accroît.

Le classement serait aujourd'hui dans l'ordre croissant :
– Troisième place : le travail ;
– Deuxième place : l'œuvre ;
– Première place : l'action.

Cela nous permet, et de façon très limpide de voir que l'on fait fi de la pensée, de la réflexion, de la culture et du passé, que la création soit matérielle ou immatérielle. On agit pour faire, pour être ou se mettre au niveau des autres individus qui eux aussi ont une démarche à l'identique.

Commençons par l'œuvre, c'est de nos jours une valeur, un concept qui est mal en point. Œuvre signifie obligatoirement création artistique autrement dit le niveau le plus élevé d'un objet : c'est-à-dire une pièce d'art. C'est à ce niveau que le problème va apparaître et s'accentuer, il y a l'art issu de l'académisme et il y a l'art populaire, mais étant donné qu'il n'y a plus de peuple, il ne reste qu'une soi-disant sous branche qui fait fi de l'académisme : l'art moderne qui n'a aucun tabou et peu de bases.

Nous ne sommes hélas pas dans un postulat, mais dans une situation d'état de fait, c'est mon opinion et cela ne concerne que mon humble jugement et personne. Pour moi, une œuvre d'art ne peut être qualifiée de telle, ne peut exister, ne peut perdurer que si elle a été générée dans la souffrance, la souffrance est une notion abstraite qu'il faut élargir au-delà du mal physique, dans toute création il y a irrémédiablement une tension, une remise à zéro, un questionnement, des hésitations, des insatisfactions passagères pouvant aller jusqu'à une crise pour finir en paroxysme.

Dans toutes les branches de l'art, je n'en citerai que quelques-unes : que cela soit la musique, la danse, la peinture, la sculpture, la littérature, le théâtre ; toutes ces branches sont toutes concernées par la dégradation civilisationnelle, elles sont remises en question dans leurs essences par des générations dites montantes et pensantes (Schubert est remplacé par la musique africaine… Beethoven et Mozart sont remis en question à Oxford pour cause de colonialisme…). Ne parlons pas des opéras ou ballets, pas encore.

De manière générale, le constat, je pourrai dire la sentence, le verdict est une renonciation plus ou moins générale des arts dits académiques classiques occidentaux qui deviennent au dire du courant contemporain moderniste : obsolètes avec une tendance raciste, en réalité tous les prétextes sont bons pour ne pas faire l'effort, d'effort, le virtuel remplace le réel.

Pourquoi étudier le passé, étudier une peinture, suivre l'histoire d'un ballet, voir les conditions de création d'une sculpture, comprendre l'environnement de la composition d'une œuvre musicale ou d'une pièce de théâtre, ainsi l'on se permet de changer la fin de Carmen sous prétexte de féminisme, à quand la disparition d'Othello sous prétexte de racisme du fait de sa couleur de peau, ainsi tous les sujets sont en position d'être pris sous un angle donné afin d'être mis à mal. Le résultat sera un Othello blanc et une 9e symphonie de Beethoven ayant subi des coupures pour être coupable d'avoir émis un message rempli d'humanisme en plus envoyé dans l'espace… On fait quoi ?

Aujourd'hui, nous sommes réduits, bridés, ne pouvons plus employer des termes simples, lorsque Camus parlait d'Arabe, imaginez le tollé aujourd'hui, lorsque Théodore Monod parlait de race, et Lévi-Strauss ! Nous vivons dans une époque de banalisation la plus vulgarisante avec nombres d'interdits au nom de la soi-disant liberté ; qui n'est qu'une parade de bienséance, un aveugle devint mal-voyant, un sourd, malentendant, la minimisation est vraiment d'actualité.

Cela rejoint le discours de De Gaulle lors d'une conversation avec Alain Peyrefitte :

« Je trouve très bien qu'il y ait des Français jaunes, des Français noirs, des Français bruns, mais nous sommes quand même un peuple européen de race blanche, de culture grecque et latine et de religion chrétienne. »

Des propos impossibles à tenir aujourd'hui dans notre climat social et de surcroît nous aurions toutes les minorités qui nous incendieraient via tous les moyens y compris les réseaux sociaux et l'appareil juridique.

Tous ces comportements se trouvent aussi dilués dans les académismes les plus purs, comment voulez-vous faire ressortir des sentiments dans un ballet même moderne sans travail, c'est-à-dire souffrance dans la mise en place de celui-ci lors des répétitions et pendant le spectacle, c'est dans une logique implacable, pour atteindre le niveau du sublime, de l'œuvre d'art même éphémère, le danseur doit dépasser ses propres limites, il a dû les repousser ses limites afin d'être dans l'intime du personnage, du rôle, il incombe au chorégraphe, maître de ballet d'exiger l'impossible que l'on se trouve dans un solo ou un pas de deux, avec l'ensemble du corps de ballet, ils (les artistes) peuvent aboutir à une transcendance et accéder à l'œuvre et abolir le temps. C'était le travail d'un Béjart (sa IXe de Beethoven), d'un Noureev (La Bayadère), c'est encore le travail d'un Preljocaj ou du Ballet de l'Opéra de Paris sous Aurélie Dupont avec le Parc.

Comment faire ressentir la profondeur d'une harmonie musicale, d'une mélodie, elle devrait selon le compositeur vous amener au-delà du réel par une simple écoute et une perception des sons assemblés, pour cela le chef d'orchestre doit impérativement être dans l'œuvre, il doit la connaître par cœur et voyager avec elle dans les limbes mélodiques et ne pas se baser sur une partition posée sur un pupitre devant lui, partition qu'il lirait, il est difficile de lire et de diriger… Il doit générer un son, une ambiance musicale qui vous amènera une émotion sincère, vous fera faire un voyage au-delà du présent. Pour cela, la technique ne suffit pas, il faut connaître l'œuvre, la ressentir, comprendre le compositeur et se substituer à lui dans son moment de création, c'est ainsi que l'auditoire sera lui-même en état de sublimation.

L'art, sa création passe obligatoirement par l'esprit, la souffrance, qu'elle soit physique ou mentale, elle vient de l'idée de perfection pour arriver à atteindre l'absolu voulu par l'auteur. Ainsi la connaissance d'une œuvre de plus de trois heures est possible, des dirigeants d'orchestre l'on fait : par exemple un Abbado, un Celibibache, un Carlos Kleiber, un Karajan et ils n'avaient pas de pupitre devant les yeux mais avaient une osmose avec l'orchestre…

Dans cette configuration il imaginable que l'on atteigne une transcendance via la perception des notes de l'ouvrage qui sont à l'unisson d'elles-mêmes, en arrivant au rythme parfait de manière individuelle et collective, cela ne compte pas uniquement pour la musique, mais également pour le ballet, voire même une œuvre littéraire, on utilise le mot « transporté », un tableau ou une sculpture qui vous fait voyager en vous amenant un sentiment (joie ou tristesse) mais c'est là que l'art devient Art avec un A majuscule.

Combien de fois la 7e Symphonie de Beethoven a-t-elle été jouée ? Des milliers de fois. Combien de fois est-elle devenue œuvre d'art ? Cela pouvait même leur échapper à Carlos Kleiber ou Karajan, car atteindre l'unisson n'était pas le lot du quotidien et ils en étaient conscients.

Mais si ce Graal était atteignable, ils le savaient eux qui n'étaient pas légion à parvenir à ce niveau, il fallait être au-dessus d'une lecture simplement technique de la partition.

S'émouvoir sur Mozart et le pas de deux dans le « Parc » de Preljocaj ou dans le Boléro de Ravel avec Béjart, non seulement l'orchestre, mais les danseurs doivent être, doivent atteindre un nirvana, la complémentarité, la symbiose, l'osmose sont obligatoires et entraînent inévitablement un état de souffrance exulté par une joie indescriptible : « être ailleurs ».

Pour accéder à l'humanité, il est obligatoire d'utiliser des termes simples qui sont la définition même de l'être et qui permettent la mise en page, la personnalisation, la description de l'individu, de l'objet, de l'évènement ; donnée qui sera indéniablement tronquée étant donné que nous resterons dans l'imprécision, l'image deviendra floue, pas exacte et prêtera à confusion tout en se donnant en pâture à une foule de soi-disant experts.

Mais dans nos temps contemporains, la banalisation du verbe, la cristallisation événementielle sur l'image font que tout le sens descriptif sans aucune teneur ni raciale, ni religieuse, ni communautaire, ni géographique, il est très difficile de parler de la population à la population en utilisant des nuances, des tons, des couleurs quelconques… Dans les faits nous obtiendrons malgré toutes les couleurs existantes, un amalgame qui nous donnerait un coloris beigeasse et insipide, un discours disgracieux et imprécis, on omet volontairement tout trait de noblesse, toute différence de tons, toute harmonie tout court.

Tout l'univers, toute l'humanité, toutes les formes de la beauté, toutes les différences, toutes les musiques, toutes les formes d'art, avec une fraternité, une solidarité dans le verbe et dans le texte, en abolissant les privilèges particuliers grâce à des paroles justes et vraies sans aucune teneur raciale et médiatisée à outrance donc erronée amènerait une civilisation pacifiée avec une communication qui va à l'encontre de celle d'aujourd'hui qui va dans la vulgarisation, la crétinisation de tout groupe ou corps sociétaire.

En renonçant à tout académisme comment voulez-vous faire ressortir des sentiments dans un ballet, même contemporain ? Il doit forcément y avoir un travail, une souffrance corporelle pour une exécution répondant au désir du chorégraphe, il s'agit d'une mise en œuvre d'une volonté commune ; celle du maître de ballet et du ou des danseurs. Ils dépasseront leurs limites, pris dans le mouvement de la réalisation, et iront chercher en leur for intérieur, au bout de leurs gestes ainsi que dans les pas de danse : l'idéal, la perfection à atteindre dans le moment présent donnant l'image de la perfection d'un ressenti, d'un sentiment par exemple un amour naissant...

Comment autrement faire ressentir la profondeur d'une harmonie musicale en symbiose avec la nature humaine et le naturel tout court qui selon le compositeur doit vous amener à des sentiments sincères, des bouleversements profonds au niveau de la perception dans l'âme de l'auditeur, si le chef d'orchestre est obligé de lire une partition devant vous cette communion dans l'atteinte d'une espèce de transcendance spirituelle, se fera difficilement car il aura peur de l'éventuelle erreur de solfège, d'impair et vous resterez frustré sur un chapelet de notes alignées. Cela restera une lecture sans esprit pas de l'Art.

La création de l'art dans l'art passe par l'esprit obligatoirement. L'exercice, la concentration, la réflexion, qu'ils soient physiques ou psychiques, la connaissance complète des composantes de la pièce d'art « sur le bout des doigts » est le sésame, la clef qui vous tiendra en haleine dans une œuvre où le temps n'aura aucune importance, que le moment soit furtif ou dure plus de quelques heures (un tableau de Van Gogh ou les trois heures de Don Giovanni avec Mozart et Herbert von Karajan).

Là, à ce moment-là il n'y a pas, plus d'artifice, pas d'accessoire superficiel, pas de pupitre, le ressenti est transmis afin de devenir un sentiment, l'orchestre par exemple atteint dans son osmose avec le chef d'orchestre et vous en êtes le témoin privilégié. Dans d'autres formes de l'art le processus est à l'identique, que ce soit dans la peinture, la littérature, il en va de même devant une toile de Modigliani, Picasso ou une page de Victor Hugo. Ainsi la transcendance atteint sa cible, l'auditoire, le lecteur ou le spectateur et amène un niveau de bien-être absolu, pas ressenti superficiellement dans la joie, la mélancolie à tout un chacun de pouvoir aller dans le sens, l'orientation désirés… Les formes et les limites sont dépassées.

Dans ces configurations, le rythme devient parfait. Le flot généré par l'œuvre créatrice vous enveloppe, vous emporte là où elle le souhaite ; c'est en arrivant à cet oméga que l'œuvre devient Art. Il est toutefois très important de noter qu'une 7e de Beethoven sous la baguette de Herbert von Karajan, Carlos Kleiber, Claudio Abbado diffèrera ; que la vision des « Tournesols » de Van Gogh changera selon les individus en contemplation devant elle, que la lecture de Victor Hugo faite par un Weber ou un Lucchini vous ouvrira d'autres aspects.

Regarder, considérer, admirer, voir, les qualificatifs ne manquent pas pour la contemplation dans « Giselle » de Rudolf Noureev, d'Aurélie Dupont dans « Le Parc », derrière ces mots, ces actes il y a une transmission d'un académisme, d'un travail, d'une persistance dans la volonté, le tout pouvant aboutie et passer par une souffrance qui amènera à une perception de la perfection et du sentiment le plus pur.

La différence est énorme entre être transporté par une œuvre de Modigliani ou Van Gogh et simplement être devant une œuvre moderne, minimaliste ou surréaliste contemporaine qui ne vous amènera aucune émotion, juste un « Ah » pour une qualification plus ou moins technique.

L'action est l'outil qui doit permettre la matérialisation du travail et de l'œuvre. Cette action ne peut se faire que si les conditions d'une base sont présentes, établies avec des codes, juste un exemple pour les codes : un bon pain se fait avec de la bonne farine, un bon pétrissage, une bonne cuisson avec une température optimale et un temps parfait dans un bon four ; si l'on zappe un de ces éléments ou rate l'un de ces critères, le pain devient simplement un aliment. Dans ces codes ont été transmises la connaissance, la conception et cela a été dit, écrit, appris, tout cela entraîne une implication d'une forme de communication orale ou écrite.

C'est à partir de ce moment-là, dans la simple exécution matérielle sans apport d'un esprit quel qu'il soit que nous arrivons dans ce que l'on nomme l'économie de marché, dont l'une des lois est de faire au plus juste à moindre coût. Nous y reviendrons ultérieurement.

Pour revenir à l'action avec l'œuvre, le travail et la communication, cette dernière, elle a pris une ampleur, un essor potentiellement encore plus grand que ce que nous pouvions imaginer, avec l'explosion de ces nouveaux moyens qu'elle est en mesure d'employer (internet, smartphone, tablette, ordinateur…)

L'action est soit une réalisation individuelle qui elle influencera un collectif, soit une collectivité bien définie ou indéfinie, maîtresse de cette réalisation. Évidemment l'action peut être soit bénéfique, soit négative pour les individus qui seront concernés par la réception de celle-ci. Elle se conjuguera aussi avec ou sans la morale. Elle sera : soit structurée, soit inorganisée, voire aléatoire, cela sera assujetti aux moyens de communication employés, à l'ordre mis en place et le déroulement selon la volonté du créateur ou de l'initiateur de cette dite action.

Elle pourra rentrer dans le politiquement correct de toute cellule ou tout groupuscule, voire cité ou état, elle sera, aura la possibilité de passer de l'individualité, de la personne à une pluralité de gens ou même tout un groupe, il y aura guère de limite dans l'espace d'une culture de cette action.

Il y aura aussi une différenciation de l'action si l'objet à l'origine est issu d'un travail ou d'une œuvre : individuel ou collectif. Elle pourra aussi se situer dans une démocratie ou une autocratie.

Comme souligné, il y aura également une différence si l'objet issu de ladite action est un simple travail ou la réalisation d'une œuvre à mettre en place. Les codes eux aussi changeront, il y aura un protocole oral ou écrit pour l'élaboration d'un travail ou l'établissement d'une œuvre ; œuvre pour laquelle le créateur aura donné des indications en fonction du ressenti du moment qui peuvent en plus être contredites le moment suivant. Il sera seul juge et maître et lui l'artiste se permettra de briser tous les tabous, passera au-delà des limites des techniques en vigueur et repoussera les limites du possible en faisant réaliser un exploit.

Dans le travail, la communication passera par une mise en pages, une codification, une notice, un manuel d'usage, un apprentissage et le support traditionnel sera la page écrite avec en adjonction un commentaire via la parole, il se verra confirmer dans la majorité des cas par une approbation du dit projet. En ce qui concerne la conception et réalisation de l'œuvre générée par l'artiste, son désir sera essentiellement formulé par la parole, il confirmera éventuellement par quelques indications posées sur un support qu'il définira.

Voilà les vecteurs de la communication, ils sont présents dans le travail et dans l'œuvre, mais il ne faut absolument pas négliger un volet supplémentaire qui est celui de l'information de ses supports et des normes qu'elle risque d'engendrer avec tous les supports qui seront mis à disposition pour amener à bonne fin le projet.

La communication a effectivement évolué et a droit à divers supports : des plus classiques aux plus modernes.

Commençons par les classiques : ce sont les livres, les manuels, les magazines, les journaux. Dans leurs élaborations, il y a obligatoirement un stade de réflexion (contenu et mise en pages…).

Les procédés classiques demandent un temps de matérialisation, un processus long en comparaison des moyens modernes même aujourd'hui classiques qui sont eux véhiculés par les ondes : que cela soit la radio, la télévision avec l'apparition de l'information dite continue.

Dans ces deux moyens classiques, il y a un semblant de contrôle de la véracité de la nouvelle, de l'information.

Avec les moyens derniers cris où l'information est dans l'instantané et tout l'espace grâce aux réseaux sociaux, à internet, aux smartphones et autres tablettes. Avec cette phase, nous entrons dans une dimension autre, tout est disponible, tout est accessible, le secret devient celui de Polichinelle, et les conditionnements deviennent systématiques au milieu des informations elles-mêmes pas à l'abri d'une orientation volontaire en fonction d'un ressenti que les institutions, d'une promotion que l'économie de marché, veulent faire accepter par les récipiendaires installés dans le réseau. Bientôt supplantés par une nouvelle forme qui voit le jour avec l'implantation des GAFAM, de l'économie de marché au capitalisme néo-libéral nous passons à l'économie nouvelle du capitalisme de surveillance.

Ces deux types d'économie fonctionnent actuellement en parallèle et préfèrent les moyens technologiques modernes car plus aptes à la manipulation de l'individu lambda que les moyens dits classiques qui eux permettent une réflexion ; encore que… Ils atteignent plus rapidement et justement leurs différentes cibles et disposent d'un espace planétaire. La mise en œuvre est de quelques secondes pour un réseau social tel TikTok, Facebook et autre… Il y a en plus aucune vérification de la véracité de l'information diffusée, de même en quelques minutes elle (l'information) peut être balancée sur les ondes, et là la spirale de l'amplitude s'en empare… Même avec un réseau d'experts qui est présent pour certifier celle-ci.

Il est évident que la communication change de niveau, nous sommes loin du télégramme Chappe et du téléphone de Graham Bell, aujourd'hui elle se situe et trouve une place déterminante dans les nouvelles économies : celle du marché et celle du capitalisme de surveillance ; dont les fruits sont les GAFAM (Google, Apple, Microsoft, Amazon, Facebook).

C'est sous cet angle que nous allons aborder le chapitre : la communication.

La communication

La différence fondamentale entre l'animal et l'homme est l'écriture adjointe au langage…

C'est une vérité première, quoiqu'elle soit aujourd'hui remise en question, les scientifiques nous évoquent les langages des cétacés, la communication des fourmis, termites, y compris le langage des arbres, de la stratégie des grands prédateurs lors des chasses, en réalité tout ce qui vit a et peut avoir une sorte de langage plus ou moins élaborée. Notre langage humain en est le propos avec ses supports accessoires.

Le langage humain avec ses vecteurs qui sont la parole et l'écriture et sa lecture en complément de l'image, ils sont les moyens d'expression qui sont entre eux complémentaires.

Au fil des millénaires, ils ont évolué pour arriver aux formes que nous connaissons. Durant ces périodes les supports ont varié, au départ de la pierre gravée à la pierre peinte (peintures rupestres), puis nous arrivons au papyrus, puis suivi du parchemin, ensuite le livre pour arriver sur les moyens plus modernes tels le télégramme puis le téléscripteur et la télécopie qui, ces trois moyens ensemble, accélèreront ladite communication jusqu'à l'instantanéité des techniques actuelles via le disque, le portable, internet et toute cette famille qui s'y rattache.

L'action perd de plus en plus de l'importance dans les concepts du travail et de l'œuvre, l'automatisation, la robotisation contribuent à la diminution de l'ampleur de l'action réfléchie qui aura tendance à devenir reflex ; le travail dit humain sera lui aussi en dévalorisation permanente, le cheminement est sauf accident tracé dans le sens d'une oisiveté de plus en plus grandissante. Ce cheminement pourra être différent dans l'établissement d'une œuvre, d'une vraie création artistique à condition que l'artisan fasse que l'on passe dans la phase de l'art avec un grand A pour devenir Art tout court et l'artisan lui deviendra artiste. L'action passera dans la communication soit orale, soit écrite, soit visuelle, elle évoluera c'est certain avec les progrès rapides de la technique dite actuelle.

L'écriture, les écrits étaient pendant des décennies l'apanage des lettrés et des personnages érudits, des gens dits intellectuels ; l'écriture elle-même était plus ou moins figée, juste les supports ont eux subi des métamorphoses, des changements dus à l'évolution technique, sans omettre en face de l'écriture la parole, le langage et sa phonétique qui aussi subissent l'évolution dans le temps à cause des modes qui sont représentatives de l'évolution de la civilisation : les périodes latine, francophone, anglophone, etc. Cela entraînait la création d'un nouveau vocabulaire, d'une nouvelle phonétique, de nouvelles expressions.

En prenant à la genèse le mime, dont les racines sont encore présentes chez le touriste le plus commun qui essaiera de communiquer avec l'autochtone qui ne comprend pas sa langue et pourra s'exprimer sur : par exemple le besoin de boire, de se situer, de savoir se localiser ; où il est ou où il va.

Tout cela partira de gestes, puis d'onomatopées pour finir par un langage primaire afin d'assouvir ses besoins ressentis de boisson, d'itinéraires et autres relations sociales :

– Qui fait quoi ?

– Avec qui ?
– Qu'est-ce que j'aime ?
– Qu'est-ce que je n'aime pas ?

En réalité, le langage prend le dessus sur l'écrit par l'application des différences au sein d'un même langage : les différences phonétiques sont flagrantes entre le français canadien, le français africain, le français créole, le français provençal, le français du nord, de Wallonie et j'en oublie.

À quelques vocables près, des mots plus proches du terroir par exemple peuvent semer le trouble dans une conversation par exemple un bec en métropole est un attribut animal alors qu'un bec au Canada c'est un baiser…

Les supports au XXIe siècle passeront essentiellement via des écrans, c'est littéralement une explosion, une prédominance de ce genre d'outils, qui nous accompagne partout et se fait, se rend indispensable.

Certes il y eut le cinématographe au début du siècle dernier, suivit par la télévision, puis l'écran des portables, smartphones via internet, ensuite c'est l'ouverture sur l'ère du numérique et c'est via ces progrès que l'on arriva à conditionner la conscience humaine pour la quasi-totalité de la population (selon Nietzsche…) devenue la consommatrice au premier degré de la nouvelle information qui ne permet plus de réfléchir, la réception en est brute.

C'est un triste constat en effet, l'évolution technologique contemporaine et moderne ne sert plus de support intellectuel qu'à une tranche très minoritaire, la majorité, la masse des individus se satisferont de la version primaire fournie par les institutions et instituts en charge de celle-ci. Cette évolution engendrera une paresse, une fainéantise à réfléchir, une crétinisation facile à réaliser.

Dans ce schéma, il n'est plus besoin de réfléchir, mais de suivre le mouvement tout en profitant des moyens offerts afin de consacrer le maximum de temps aux loisirs que l'on nous propose. Tout est mis en œuvre afin que la masse via tous les moyens directs et indirects pour crétiniser la foule.

Ces moyens actuels qui sont ceux issus des nouvelles technologies qui nous envahissent pacifiquement au nom du bien-être, de l'écologie, de l'égalité, de la solidarité, de la fraternité, de l'avancée sociale et de la responsabilité individuelle et collective.

Nous assistons à l'explosion du virtuel, de l'irréel ceci grâce aux tablettes, consoles, smartphones et ordinateurs, ils sont présents sans relâche, il est même risqué d'une certaine manière de ne pas en avoir à portée de main. Ils sont devenus des outils, des ustensiles de la vie tout simplement, ne pas « être branché », quelle image envers les autres…

Malgré tous les aspects positifs de ces nouvelles technologies, en médecine en particulier, il est difficile d'en ignorer les côtés négatifs ; surtout mis entre les mains d'individus non responsables. Un tout petit exemple : les harcèlements via les réseaux sociaux qui touchent nombre de lycéennes et lycéens…

En plus, il n'est même pas question, elle est jamais posée, la réalité de la dépersonnalisation des gens.

Ces moyens véhiculent des loisirs d'un genre nouveau : les jeux vidéos dont les ancêtres sont « Mario » et le jeu de tennis. Cela peut paraître puéril, mais plus de 37 millions d'autochtones jouent en moyenne près de 36 heures, soit l'équivalent d'une semaine de travail et la moyenne d'âge se situe à 40 ans ! Mais nous allons revenir sur ce sujet.

Ces supports d'actualité transmettent aussi toutes les informations provenant des médias classiques, ou plutôt qui sont récupérés ou confirmés par eux, mais les réseaux sociaux, les pages des blogueurs, les infos en ligne sont nettement plus virulents que les véhiculants traditionnels (JT et journaux…) Le risque est que les itérations deviennent rapidement obsolètes et la recherche d'évènements est constante. L'amplitude de ce phénomène est devenue quasiment inimaginable, les individus, les destinataires sont devenus très friands des nouvelles, il en va de leurs statuts de personnes branchées… Cette métamorphose s'est faite en une grosse décennie avec les réseaux sociaux qui en sont en majorité responsables, ils sont devenus avec les médias les manipulateurs des opinions, les conditionneurs de l'état d'âme des individus, eux ils subissent un véritable matraquage audiovisuel.

Je vais quelques instants sortir du sujet tout en y restant en aparté. La parenthèse vient du Festival de Salzbourg, profitant de la célébration du 100e anniversaire de celui-ci.

L'œuvre maîtresse retransmise était l'opéra de Mozart, le monument « Don Giovanni ». Nous étions dans l'attente d'une exécution magistrale aussi bien musicalement que scéniquement. Mais nous nous souvenons de femmes nues ! de pianos fracassés ! de ballons de basket, c'est hélas le tribut dû à une certaine modernité…

La musique, le chant, il n'est pas possible de relever de trouver un qualificatif qui attribuerait un caractère ténorisant, mélodieux, symphonique à la composition de Mozart, ce qu'il était en droit d'attendre.

À aucun moment, la musique, l'ensemble orchestral, les chanteurs aux voix moyennes ne furent dignes d'un simple vinyle de blues, de gospel ou de chansonnette bien française, d'un gouailleur Montmartrois. Cette représentation était l'éloge d'une société où l'esbroufe dépasse et enterre toutes les possibilités d'avoir une vision d'une qualité de vie. C'est la photographie d'une société ou la politique du moindre effort et de la mise en avant du paraître est la plus importante. Comment peut-on saccager une œuvre, elle dure plus de trois heures, en principe c'est un scénario de magnificence qui devrait se dérouler devant vos yeux et votre sens de l'ouïe aurait dû se régaler de cette fête, de cette ode à la musique. Tout ce show, car c'était un show de troisième zone, correspondait hélas à l'heure du temps, l'accessoirisation occupait le devant de la scène, alors que les valeurs fondamentales étaient totalement négligées.

Cette sortie soi-disant théâtrale était un rejet avoué de l'académisme, c'était lamentablement désolant, pas digne d'un festival de cette renommée dont on gardera en mémoire pas ces scènes choquantes mais les représentations d'un Herbert von Karajan (1987, sa dernière apparition à Salzbourg) ou d'une « Traviata » dirigée par Carlo Rizzi avec Anna Netrebko et Roberto Villazon (eux dans La Traviata en 2005). Si ces deux manifestations vous faisaient atteindre une sorte de Graal musical, celle du centenaire misait tout sur la niaiserie et le show de la superficialité.

S'il est facilement compréhensible que notre population actuelle aille vers la facilité qui lui est offerte, avec la banalité en bonus, il est ardu pour un amateur d'opéra d'être en accord avec cette démarche. Je dus constater que les musicologues de renom furent du même avis que moi, hélas…

J'aime simplement la belle musique, l'ouvrage bien fait, la recherche de l'excellence et il est assez facile de se référer à des œuvres connues et reconnues pour des interprétations hors du commun et devenues des œuvres majeures dites de référence. Ma déception fut d'autant plus grande que je connaissais le chef d'orchestre pour avoir dirigé la 7e de Beethoven dans la journée qui lui était consacrée sur Arte, j'avais donc un réel espoir d'avoir droit à une exécution magistrale au niveau d'un Karajan ou de la « Traviata » cités plus haut et feraient partie de mes œuvres de référence. Comment peut-on crétiniser une production pareille au nom d'une modernité qui ne fut même pas au rendez-vous ?

Loin de moi de faire une analyse quelconque, ni de l'œuvre, ni de la situation, j'ai juste eu le désir de partager mon ressenti que je qualifierai d'amateur de belles choses. Le bilan est plutôt déficitaire, il est le triste reflet d'une civilisation du moindre effort, du rejet de l'académisme le plus élémentaire et du passé tout court en termes de référence.

Salzbourg, l'espace de cet instant, était devenue une série B américaine avec les niaiseries dont nous les savons capables.

Et ce flagrant délit de niaiseries est mis en avant par une retransmission télévisée par une chaîne à grande audience et en plus culturelle. L'auditoire est lui aussi pris en otage, l'appareillage essayant de le convertir via une pléthore de moyens modernes allant de la vidéo au virtuel, pour faire accepter un pseudo-modernisme avant-gardiste. C'est uniquement un flagrant délit de niaiseries dont l'unique but est de faire la « Une », Mozart qui avait, était un esprit libre n'aurait jamais accéder à un tel niveau de décadence.

L'auditoire lui est pris en otage ; les réalisateurs de ce spectacle pensant le convertir à la vision néo-moderniste qui font usage de pléthores de nouveaux moyens technologiques.

Ces moyens, ils nous envahissent, nous sommes dans une agression digitale permanente, et nous sommes dans l'obligation si nous désirons conserver notre personnalité, notre pensée propre être, être dans la possibilité de se mettre à l'écart, un peu hors du temps, nous devons tel un funambule franchir le ravin, nous devons être lucide et reconnaître que certaines avancées technologiques sont positives.

Nous vivons dans l'explosion du virtuel, du digital, du téléphone devenu smartphone, de la tablette et du portable. Si une infime partie des progrès est appliquée, utilisée pour le véritable bienfait de l'humanité, la majeure partie est détournée vers la maximisation des profits, peu en importe l'origine.

Elle est orientée vers cette optimisation des profits des géants de ce nouveau monde néo-libéral qui fait feu de tous les moyens à sa disposition, depuis l'artisan à l'art, ils nous contraignent d'être dans l'obligation d'utiliser les instruments qu'ils ont mis en place.

Malgré les aspects positifs, il est difficile d'ignorer toutes les facettes négatives de cette boule de cristal, celles-ci vont jusqu'à l'aliénation du passé récent et ancien, de l'ignorance volontaire de l'histoire, de la liberté d'expression et de paroles.

Je parle, entends par là l'utilisation du mot « vrai » dans son sens étymologique, il devient prohibé quelques exemples : le mot race, le mot aveugle transformé en mal-voyant, le mot arabe pourtant utilisé par Albert Camus, le mot sourd devenu malentendant et la liste ne s'arrête pas là. Il y a une recherche systématique de l'irresponsabilité, de la non-identité, de la dépersonnalisation, de la non-authenticité de l'individu.

Nous n'allons pas faire une analyse détaillée, un essai de synthèse, une étude sur ces sujets, nous allons simplement laisser notre esprit aller où bon lui semble, secondé par un bon sens qui peut être présent dans chaque personne lucide. Il n'est point besoin de la foultitude d'experts en tout genre que Sir Winston Churchill mettait dans la malle arrière de la voiture et non à la place du conducteur.

Aussi je me servirai de mon vécu, de ma vision de l'espace dans lequel je me suis déplacé durant des décennies (le monde occidental sommairement).

À la place de nous lancer dans de longues études, je me permettrai de la manière la plus simple possible de vous narrer une expérience vécue entre la fin du XXe et le début du XXIe siècle, je suis persuadé qu'elle reflète la mutation de notre mode civilisationnel, je vous mets en face de l'évolution d'une technologie celle du téléphone… Nous partirons du simple combiné pour aboutir au smartphone.

Je les ai utilisés pendant et dans mon travail, c'était pour moi toujours un outil important, parfois capital. Il était dans le passé la clef pour les prises de rendez-vous, donc l'établissement de mon planning des jours, des semaines à venir sur un espace territorial qui passa de l'Allemagne à toute l'Europe du Nord puis aux « 3 » continents (Asie, Amérique, Europe…), cela à partir de mon bureau, et même depuis la voiture et l'avion lors de vols long-courriers et transcontinentaux.

Selon l'importance du client, vous aviez soit la centrale, le standard, la secrétaire ou votre interlocuteur via sa ligne directe, c'était selon votre classement en V.I.P. ou pas. Après l'établissement de l'emploi du temps, se furent les déplacements, les visites, les présentations des produits (collections) et le soir à l'hôtel la lecture du courrier arrivé par téléscripteur et vos envois également par télex, un va-et-vient de questions-réponses.

Durant la visite chez le client celui-ci était avide de savoir, de connaître, d'être mis au courant ou d'avoir la confirmation des dernières tendances textiles de Milan, Paris, Londres ou New York. Il était friand des derniers commérages du métier, des rumeurs de la branche. En ce temps-là, la communication se faisait de personne à personne, vous aviez en face de vous le décideur (ou la cellule), il y avait échange et communication.

En complément, il y avait une espèce de respect, de confiance mutuelle qui amèneront eux à court terme à l'un et l'autre parti du profit en tous les sens du terme. Puis ce fut l'avènement des premiers portables (Nokia, Sony, Motorola) qui eux vous classifiaient selon votre importance dans les VIP ou non, si vous aviez le numéro de votre interlocuteur vous étiez important. Le portable était la panacée des dirigeants et des exécutifs. Les petites ou secondes mains n'y avaient pas encore accès dans un premier temps.

Déjà là à ce stade, la communication changea de niveau. Les relations étaient devenues sélectives. L'on était en relation, on communiquait avec son interlocuteur sans frontières, partout, lui à Hong Kong, vous à New York ; mais uniquement avec lui. En même temps, une sorte de vanité futile s'installait, l'on aimait faire savoir où l'on était à l'instant « T », cela faisait partie du standing de la fonction ; cela vous donnait une importance toute relative, cela avait remplacé ou était complémentaire du face à face, imaginez la conversation entre votre client et vous-même, lui en train de faire du shopping à Tokyo et vous dans l'antichambre de Ralph Lauren !

Ces futilités vous donnaient, faisaient la hiérarchie, vous étiez dans la « jet-set » de la mode, l'individu universel, et de ce fait nécessaire à l'établissement du bon choix.

Le troisième stade fut l'élargissement au staff, à l'équipe au complet et la communication devint du fait du nombre floue et parfois même incertaine, il fallait contrôler la destination, la bonne exécution par la personne concernée (divers actes comme commande, planning, réception, demande…), par votre correspondant (ou son assistant).

Les chances de pouvoir, elles d'atteindre un client prospect diminuaient drastiquement, il y avait une sorte de sélection, de tri, de non-responsabilisation en face de la nouveauté qui se mettait insidieusement en place.

Ainsi avec l'élargissement de cette technologie, il y eut la mise en place d'un genre nouveau de hiérarchisation, d'une sélection à laquelle vous ne pouviez pas participer ou prendre part, votre interlocuteur avait la possibilité de vous effacer, de vous rayer en quelques secondes de ses relations, sans avoir à vous donner une explication, une raison quelconque, nous étions entrés dans l'ère de « l'effacement ». Dans la réalité la plus pragmatique, nous étions entrés dans l'ère de la dépersonnalisation. Le seul critère déterminant était : être dans les personnages importants, potentiellement indispensables ce qui entraînait automatiquement une surenchère relationnelle et de ce fait une accumulation de données disponibles ayant subi elles aussi le phénomène d'enchères.

De la communication présentielle, en face à face dans un bureau, dans une salle de réunion, dans un lieu : chez lui ou chez nous en nos bureaux, nous passions à la possibilité de palabrer au-delà des océans si votre portefeuille de savoir, de connaissances, de produits, correspondait à l'attente du moment de votre client, relation qui était dans vos contacts.

Il faut ajouter à cela que la technologie du portable, elle alla en évoluant en rendant possible la rédaction et la lecture ainsi que l'émission de courriers, documents de manière électronique, cela s'aggravait dans le sens ou la circulation de l'image devenant possible et la limite de la faisabilité reculait, bonjour à la copie. Dans quelques lignes reviendrai là-dessus. Il y avait une dépersonnalisation de toutes les sortes de relations humaines, il n'y avait plus que des décharges sur l'autre, une sorte de passation automatique d'une non-prise de responsabilité. Non seulement l'interlocuteur, le correspondant ne répondait plus, mais il vous abreuvait de questions n'ayant aucun sens, aucune relation avec votre requête avec des questions futiles qui démontraient qu'il n'était pas concerné. Hélas ! ce phénomène alla en s'amplifiant de manière exponentielle.

Je reviens à l'image :

Hier, un créateur trouvait lors d'un défilé, d'un shopping une idée, un modèle qu'il ramena chez lui afin de l'adapter à son marché. Il convoquait donc son fournisseur privilégié afin lui soumettre son idée pour la rendre accessible à sa collection par une évidente adaptation. Ce n'était pas une copie mais la source d'inspiration d'un produit différent, en conservant l'esprit de l'originel et le faire correspondre à l'attente de son marché : il y avait interprétation.

C'était un cheminement normal, proche de la création. Aujourd'hui, on prend une photo du modèle, on l'envoie à ses fournisseurs, dans le cas d'une chaîne type Zara ou H & M, les fournisseurs de tissus et en même temps les confectionneurs ; en demandant la reproduction à son niveau de l'article et demandant des cotations et délais de livraison, c'est l'enchère dans le sens du moins cher possible le plus vite possible. Ainsi le délai de réalisation passa 15 mois à 2 mois (depuis la demande à la mise dans les rayons du magasin). Le tout avec aucun dialogue, que des courriers et une recherche de rentabilité maximale.

La mise en place de ces nouveaux circuits génère également une banalisation du marché, de ce qui aurait pu être un évènement et instaure une lassitude des consommateurs de toute évidence trop gâtés quant à l'offre, avec une offre qui est renouvelée en permanence par le système de surenchère de la nouveauté. Ne parlons pas du travail… Il est au niveau le plus bas dans son échelon. Les ténors de la mode, pour éviter la copie, vont dans l'extravagance extrême en la rendant inimitable et absolument inélégante et difficilement portable par l'individu lambda. Rares sont les ténors qui ont su garder l'élégance de leurs lignes, je pense à Chanel, Ralph Lauren et Armani par exemple…

Voilà pour mon vécu personnel et je ne trouve cela guère réjouissant, actuellement il y a plutôt encore amplification de ces cas de figure. Il n'y a plus de particularité, de dialogue, d'individualisme, de personnalisation dans cette réalité actuelle.

Il y a d'autres branches d'industrie, elles ont des réactions identiques aux nôtres, que cela soit dans l'automobile, le tourisme, l'industrie pharmaceutique, je vais dans les extrêmes mais suis convaincu que sous peut-être des formes différentes le schéma est le même.

Aujourd'hui aussi, grâce à la technologie moderne, une branche très particulière des loisirs a explosé en peu de temps, ce monde du loisir du jeu vidéo a été bouleversé et est devenu un véritable empire, nous sommes loin du « Mario » des origines et du jeu de tennis !

De nos jours, dans ce domaine, plus de droit à l'erreur, les jeux sont devenus compétition et niveau de standing. En plus, ces jeux sont générateurs de stress, naturellement certains diront positifs !

Ce nouveau vecteur de loisirs est disponible sur de multiples supports, au point de ne pas vous quitter, cela partait de l'ordinateur, pour virer à la tablette puis au smartphone, j'omets volontairement les compétitions sur écran géant pour les professionnels. C'est devenu une véritable industrie avec un chiffre d'affaires excédant les 300 milliards de $. Ce chiffre correspond à 18 % de l'activité « Tourisme du P.I.B. », le secteur « Tourisme » étant lui à 10 % du P.I.B. mondial, ces chiffres ne sont pas rien… Ils ne tiennent pas compte des emplois et services indirects, ce sont des chiffres vertigineux qui chamboulent les économies dites traditionnelles, un exemple la Grèce affiche aujourd'hui un tourisme à 24 % de son P.I.B. national soit un actif sur cinq.

Les jeux ont toujours existé, les jeux dans les arènes de Rome, d'autres, devenus des classiques, ont perduré au fil des siècles comme le jeu d'échecs ou le jeu de Go et quelques autres. Si les jeux de l'arène ont disparu avec la survivance de la tauromachie, les tournois sont devenus par exemple « paintball ».

L'homme a toujours cherché à s'évader par les loisirs. Il éprouvait la nécessité de se divertir, pour cela il utilise de plus en plus le facteur « Sport » qui lui en direct génère 2 % du P.I.B. mondial, en y ajoutant les autres loisirs nous avoisinons les 10 % de ce même P.I.B., la zone d'influence étant beaucoup plus grande, il faut compter tous les secteurs indirects qui sont par exemple la construction des infrastructures : aéroports, hôtels, routes, et tous les moyens collatéraux telles l'aviation, la construction maritime et toutes les machineries adjacentes.

Mais revenons à nos joueurs de jeux vidéos, ils sont en majorité masculins (52 %) et passent plus de neuf heures par semaine à jouer. Ce qui revient à dire comme Winston Churchill l'on peut faire dire n'importe quoi aux chiffres, dans ce cas-là l'individu passerait à temps plein une semaine sur cinq à jouer ! Cela correspondrait à 10 semaines par an sans les congés payés et les week-ends, que de temps à ne rien faire, il y a une assez forte inactivité.

L'âge moyen des joueurs à ma surprise est quand même de 40 ans ; à cela il faut rajouter que 96 % des jeunes de moins de 17 ans jouent et 69 % ont 18 ans et au-delà. S'il existe des jeux de réflexion, il y a aussi des jeux dits de « sport » et des jeux guerriers, ils vont de la gratuité à des paiements de redevance pour accéder à des niveaux supérieurs et les sommes peuvent être loin du modique (il y eut des cas d'endettement dépassant le revenu propre du joueur). Chez F.I.F.A., le jeu de Foot, plus l'équipe est parfaite plus elle est chère ; effectivement un Ronaldo plus un Neymar plus un Messi et j'en passe, je laisse galoper votre imagination.

Dans les jeux guerriers, là aussi plus l'armement peut être conséquent plus les chances de vaincre sont grandes, il est donc nécessaire de s'équiper, de s'armer.

Ce n'est pas un reproche mais une simple constatation, le point où je me révolte c'est que dans tous ces jeux il y a une agressivité qui est présente de manière subliminale et rend le fait, l'action de tuer totalement normale. L'on se trouve érigé en héros virtuel et l'on a pour mission de quelque façon que cela soit d'abattre ses adversaires, ceci dans un jeu de guerre, mais également dans un jeu d'aventures ou de conquête.

À tous les niveaux des jeux mis sur le marché, il y a des violences autorisées, pour être commercialisables les jeux sont classés avec un critère d'âge, c'est une copie de la démarche de la branche cinématographique qui met en rang les films pour les moins de 12 ans, puis les 12 à 16 ans, puis les 18 ans et plus, le C.S.A. ajoute 10 ans pour la télévision ; pour les jeux vidéos, l'échelle est beaucoup plus grande ; en effet, la classification commence avec les jeux pour 3 ans, passe à 7 ans puis 12 et 16 pour finir à 18 ans.

La violence, elle est accessible à partir de 7 ans. Elle se banalise au fur et à mesure et la transposition de la vie virtuelle à la vie réelle peut hélas être possible et les barrières d'âge tronquées par une disponibilité familiale (le jeu du grand frère !) !

C'est un volet pas positif de l'évolution fantastique de nos technologies modernes. Imaginez les efforts déployés et qu'on les transfère dans d'autres directions, vers d'autres buts ; comme la dépollution des océans, les industries dites renouvelables, la recherche d'une optimisation locale, le ralentissement des délocalisations qui entraîneraient de facto moins de pollution (la logistique, les transports maritimes…).

Mais ce volet est un tout petit aspect de cette nouvelle industrie « Les Loisirs » apparu au début de la moitié du siècle dernier. Même si sa naissance est due à Thomas Cook en 1841, l'essor eut lieu avec la création des congés payés en 1936, l'explosion, quant à elle, l'explosion, l'exploitation de manière systématique, de manière industrielle, et logistique, avec l'utilisation de toutes les techniques de promotion a pris son départ début des années 80/90 (aviation dite charter transformée en low cost), la floraison des camps de vacances et des ressorts, l'apparition de la mode des croisières pour plaisanciers normaux, fini le vrai haut de gamme type première classe de la Cunard Lines (exemple : le paquebot Queen Élisabeth…).

Aussi nous allons faire un petit détour dans cet espace-temps laissé libre par le travail et l'œuvre, qui lui le temps libre va gagner en ampleur et devenir une valeur, un facteur à part entière de l'économie mondiale et devenir un pourcentage important du P.I.B. mondial. Non seulement il y a l'implication directe, mais il ne faut pas négliger tous les effets et industries qui s'y greffent de façon collatérale, telles toutes les infrastructures, les moyens d'acheminements aériens, terrestres et maritimes ; à cela s'ajoutent les structures qui permettent l'implémentation des industries collatérales. Les emplois générés sont nombreux, ils se chiffrent par milliers et dérangent le plus souvent l'écosystème.

Dans un premier temps, nous allons nous intéresser au développement du tourisme dans le monde et dans le temps. Voici quelques chiffres qui permettront une réflexion.

En 1990, ils étaient 500 millions de touristes dans le monde, en 2019, juste avant la crise ils étaient 4,5 milliards, c'est à dire 9 fois plus. Vous voyez la progression. L'activité se faisait par voie aérienne (57 %), par voie terrestre (voiture ou similaire 37 %), par voie maritime (4 %) et par voie ferrée (2 %)… Le tourisme représentant quant à lui plus ou moins 10 % du P.I.B. mondial.

Quel poids, son évolution dans l'économie était qualifiable de plus que rapide. Aujourd'hui, un ouvrier sur dix est impliqué d'une façon ou d'une autre dans le tourisme. Un des témoins ou paramètres peut être le trafic aérien ; en effet en 1986, il y avait 642 000 passagers, dont je fus, et en 2010 nous étions 2.750.000 dont je fus encore, en 2019 les usagers atteignaient le chiffre impressionnant de 4,5 milliards de têtes. Vous voyez la progression, je tiens à vous préciser que 30 % des vols étaient dans les dates récentes dus à des compagnies low cost. Quant à la flotte aérienne, qui elle comptait dans les années 1980 environ 5800 avions ; elle (la flotte aérienne) dépasse aujourd'hui les

20 000 unités et elle doublera d'ici 2035… Cela entraînerait la nécessité d'avoir environ 550 000 pilotes et copilotes, il faut ajouter à cela 640 000 techniciens au sol, je ne compte pas le personnel navigant. La progression dépasse les 285 %, voyez l'implication de ce développement dans les branches collatérales.

Je ne peux pas m'empêcher de vous décrire les premières vagues touristiques, celles que j'ai connues dans les aéroports que je fréquentais couramment (Frankfort/Main, Zurich, Amsterdam, Copenhague, Stockholm, New York, San Francisco, Tokyo et Hong Kong pour les principaux).

Non seulement ce furent des queues interminables dans les halls de départs, mais aussi dans les halls d'arrivée, aux abords des guichets d'enregistrement ou lors des passages des contrôles de migration et de douane. Ces foules étaient bigarrées, indisciplinées, elles avaient des exigences au-delà du convenable ayant un postulat de base : « tout leur est dû ».

Ils avaient acheté le droit au soleil ! ils avaient payé ce droit, donc ils devaient en bénéficier dès le départ. Leurs désirs étaient tellement forts que rien ne pouvait les en faire déroger.

Bien que pas encore à destination, ils étaient (ces gens-là) déjà en mode « Vacances, avec leurs tongs et chemises à fleurs en plein mois de janvier à Stockholm ! ».

C'était vraiment une image ubuesque, ce cliché que vous pouviez prendre à Arlanda (aéroport de Stockholm) en plein mois de janvier, sous des chutes de neige, donc un environnement blanc…

Ils faisaient la queue en tong, bermudas, chemises à fleurs et lunettes de soleil assorti d'un chapeau de paille, j'exagère à peine. Pas difficile d'imaginer que les destinations étaient très au sud…

C'étaient des pays comme la Thaïlande, l'Ile Maurice, les îles Caraïbes, les Açores, Cuba ; tous ces pays avaient leur P.I.B. qui dépendait de cette manne inespérée qui a pris naissance dans les années 80/90 et dont l'essor semblait durable.

En République Dominicaine le tourisme atteint en activité économique 8,5 % du P.I.B. et 7,5 % des habitants sont impliqués directement pour en faire un secteur stratégique. Mais toutes les infrastructures, les commerces, les transports, sont sous l'influence de ce secteur, d'autres activités annexes telles les activités nautiques, de restauration, l'industrie du cigare et autres échoppes de souvenirs en dépendent également.

Il y a deux mondes au sein de l'île, les secteurs touchant aux luxurieux ressorts posés comme des citadelles dans les endroits les plus paradisiaques, ce sont des enclaves qui ne reflètent aucunement la réalité, n'ont aucune commune mesure avec l'intérieur du pays et de son environnement.

Quant aux Maldives, autre paradis touristique le P.I.B. est à 51 % issu du tourisme et représente 16 % des emplois directs. Sa voisine « Les Seychelles » arrive à 24 % du P.I.B. Il va de soi que ces micro-États sont plus sensibles à une crise dans le secteur du tourisme que des états géants comme la Chine, les USA qui font l'objet d'un tourisme plus ciblé vu la grandeur.

Nous évoquons là le tourisme terrestre, il y a la branche maritime qui ne cesse de se développer avec des croisières qui vont jusqu'à pousser dans les mers australes et boréales, une des attractions étant la fonte des glaciers ; les croisières peuvent aussi devenir culturelles, essentiellement est concernée la mer Méditerranée (Grèce, Venise, Santorin…), ou rester dans le circuit du soleil et du loisir festif avec les îles Caraïbes. Cela représentait avant la pandémie plus de 30 millions de voyageurs et plus de 270 navires…

J'ai volontairement mis en avant ce volet de l'économie mondiale, les croisiéristes allant jusqu'à vanter la possibilité de télétravail…

Le phénomène loisir est devenu majoritaire, la notion de travail dans la communication occupe beaucoup moins de place à tous les niveaux, sur tous les supports, dans toutes les communautés.

L'individu moderne est dépendant de la communication, même les enfants subissent le phénomène.

Le système social français avec la réforme des 35 heures a, il faut le reconnaître bouleversé la physionomie et psychologie du travail et est devenu difficilement déconnectable du phénomène « Loisirs ». Il n'est pas évident pour tout individu d'être en moyenne en liberté pendant 11 heures la journée durant ; avoir la liberté de se distraire d'une manière ou d'une autre en ôtant les 7 heures de sommeil il reste la bagatelle de 6 heures de travail...

Lors de l'instauration de cette loi des 35 heures, notre société l'appliqua immédiatement, elle fut ressentie différemment dans les différents services : production, administration et secteur commercial. Le secteur production était lui le plus simple à gérer, n'ayant pas de contact ou très peu avec l'extérieur, et travaillant en continu jour et nuit par équipe, le secteur administratif était peu concerné et pouvait s'adapter aux sollicitations extérieures, il restait le secteur commercial en permanence en contact avec l'extérieur, géographiquement parlant ce service travaillait avec la planète entière, voyez les décalages déjà existants et amplifiés par ce progrès social.

Les contacts avec l'extérieur demandèrent des réglages des emplois du temps quant aux relations avec l'Asie, l'Amérique voire en Europe des pays comme la Grande-Bretagne, la Finlande, l'Irlande ; les pays importateurs de nos produits.

Quant à notre voisine l'Allemagne, notre premier marché à l'exportation avec ses 39 heures travaillées, il fallait combler la faille des 4 heures d'écart laissée aux loisirs ou R.T.T., générée par cette nouvelle loi.

Combien de fois j'eus en retour la réflexion blessante et également injuste car il y. avait tout de même des plages temporelles où nous étions joignables : « Vous ne répondez jamais... », ou bien « Vous travaillez quand… » La vie de la société connut socialement un changement comportemental profond, les gens ne venaient plus travailler, mais pour préparer le prochain congé ou le prochain week-end.

La dynamique du travail avait été perdue, c'est le schéma identique à celui d'un sportif qui ne s'entraîne plus, qui n'a plus la volonté de gagner, les temps de loisirs ont indéniablement pris le dessus dans le psychisme de l'individu lambda, surtout si géographiquement lesdits individus pouvaient s'approcher facilement ou étaient installés dans des régions à tendance touristique (notre cas).

Nous sommes, allons irrémédiablement et de façon volontaire nous installer définitivement dans la civilisation des loisirs et créons ainsi un nouveau pan de l'économie mondiale le secteur du tourisme qui est juste en phase à la frontière du dilemme et de la star dans la classification du Boston (B.C.G). Toute une partie va être assujettie au développement de ce nouveau secteur, l'industrie orientera sa production vers ce nouveau potentiel, les autres sont plus ou moins stratégiques pour l'économie de marché et le capitalisme de surveillance. Qui dit tourisme pense obligatoirement : matériel (équipement), hébergement, moyen de locomotion (terrestre, maritime, aérien)…

Il y a nombre de détails qui installent définitivement notre monde occidental dans cette philosophie, civilisation des loisirs.

Il nous suffit de regarder l'évolution soi-disant technologique de nos voitures. Elles ne changent guère dans le fond, mais dans la forme, j'explique les progrès sont dans ce que je nomme les accessoires. Aujourd'hui effectivement, les sièges disposent d'écrans vidéos pour les jeux et autres divertissements, à l'avant vous bénéficierez d'une planche de bord avec « Google, Safari et autres… », vous pourrez recevoir des SMS, des Courriels, elle vous pilotera jusqu'à destination en vous indiquant l'itinéraire, elle exaucera votre besoin du moment grâce au capitalisme de surveillance (aux USA ; déjà !). Votre véhicule est synonyme de liberté à condition de vous déconnecter.

Nous avons ainsi d'un côté l'explosion des gadgets dans l'industrie automobile, d'un autre côté il y a cet essor dans les transports low cost (aérien, terrestre, et encore maritime...). Il y a une floraison de ces sociétés aériennes, elles remplissent les tarmacs des aéroports, il est aujourd'hui devenu moins cher de passer un week-end à New York que de se rendre sur la côte bretonne à partir de l'est de la France (Strasbourg par exemple), c'est aussi rapide et moins cher.

Ajoutons la part de snobisme, il vaut mieux dire j'étais à New York que je fus à Saint-Pierre de Quiberon... C'est nettement plus valorisant.

C'est ainsi ; grâce aux réseaux sociaux entre autres, à la communication moderne axée sur le temps à ne pas perdre que des cités entières ont vu leurs vies, leurs rythmes changés pour ne pas dire bouleversés, jusqu'à provoquer des migrations de population, citadins vers d'autres cieux. Barcelone reçoit annuellement 20 millions de visiteurs, touristes s.v.p., Venise qui de ce fait là, a perdu plus ou moins depuis 1986 110 000 âmes, ne parlons pas de Santorin, Amsterdam, Paris ou Londres. Le tourisme a fait arriver la saucisse de Frankfort au pays de la paëlla, le bretzel à la place de la baguette, la verroterie made in Chine à l'encontre de la cristallerie de Murano et j'en passe...

Tous ces flux migratoires entraîneront forcément des changements comportementaux chez les autochtones et les instigateurs eux-mêmes de tous ces mouvements auront des comportements basés sur leurs futures vacances avec ce que cela comporte quant à l'opportunité d'aller là ou ici, les dépenses à effectuer, les budgets à prévoir avec la recherche de l'opportunité de tout genre afin d'épater sa galerie... Tout est bon alors que dépérissent les traditions, coutumes et industries des lieux concernés.

Pour arriver à ces fins il est évident et naturel de ponctionner dans le budget courant : la culture, les livres, l'habillement, voire les modes alimentaires ! (acheter du bœuf argentin, pas ou plus du Charolais.), tout est envisageable ; l'industrie quant à elle entrait dans la récession, dépérissait…

Nous sommes loin des gens affichant une personnalité, une vraie, avec une responsabilité comme il en existait durant les Trente Glorieuses, je me permets de vous donner deux exemples : l'un a pour origine mon beau-père, l'autre est personnel.

Voici les extraits d'une lettre reçue de mon beau-père :

« Je serais maintenant en vacances 4 semaines, j'ai un vaste programme à réaliser ; toute la révision de mon russe, un peu de rafraîchissement de mon anglais et toute la grammaire espagnole avec ses verbes irréguliers.

Vacances et détente ne signifient pas obligatoirement voyage et farniente ! Mes ressources intellectuelles et spirituelles sont gagnantes à ce jeu-là… »

Quant à moi, je passai 5 jours en famille à faire du ski d'été en juillet et la saison des salons professionnels de nos clients débutait dans les premiers jours du mois d'août. Le premier des salons était celui de Düsseldorf, suivi par Copenhague et Helsinki, pour terminer par nos salons avec Munich, Milan et Paris début octobre, dans les années 1990 s'ajouta New York fin juillet, difficile les vacances, non !

Je reçus le télex suivant provenant de mon P.D.G. :

« J'espère que vous vous êtes bien emmerdé pendant ce court séjour et que vous êtes prêt pour le salon de Düsseldorf. »

Un premier constat

Mon sentiment profond est que de nos jours nous sommes loin des comportements que nous avons connus.

Les institutions néo-libérales contemporaines d'envergure, les leaders nous incitent et savent profiter via maintes communications de cette vague « Loisirs » en améliorant de cette manière leurs profits à l'aide de cette nouvelle branche de l'industrie à croissance soutenue de façon directe et collatérale, en délocalisant tout ce qui peut l'être, en créant des vagues de migrations, aussi bien industrielles que touristiques, le seul point important étant la rentabilité.

Il y a une véritable déliquescence de la culture, du travail, de l'œuvre, de l'amour du beau. On se laisse glisser dans la facilité, dans l'oisiveté et les soi-disant plaisirs euphorisants desquels il ne reste rien quelques instants après.

Comme il ne reste rien, cela génère une sensation de mal-être, d'insatisfaction et d'envie.

Loin de moi l'idée d'écarter les nouveautés, les plus récents développements technologiques et scientifiques qui nous servent, préservent et améliorent nos conditions de vie.

Il y a le revers de la médaille, c'est lorsqu'on les utilise pour nous lénifier, nous assommer, nous abrutir avec une utilisation à outrance des médias, des réseaux sociaux et autres moyens de promotions ou supports modernes, c'est ce que l'on nomme la communication moderne, être connecté.

Cette lèpre est, et elle est bien installée dans le système éducatif et scolaire, en effet malgré toutes les études faites en neurologie, de manière stricte et rigoureuse, études très sérieuses qui ne sont absolument pas prises en compte, Facebook actuellement est à ce sujet sous le regard d'une commission d'enquête du Sénat américain suite aux dommages prévisibles que le réseau amène à ces utilisateurs jeunes et adolescents.

Il y a une mise en place d'une crétinisation de la population ayant accès par internet via les écrans, les supports électroniques, les portables eux-mêmes nocifs et sclérosants, il y a un sous-développement du cerveau avec l'utilisation du digital, c'est la raison pour laquelle les ténors de la Silicon Valley font utiliser à leurs progénitures des cahiers et des crayons. C'est juste une facilité apparente, pour soi-disant enseigner, mais en surface et pas en profondeur, ce que l'on appelle l'éducation moderne qui bannit tout académisme.

Il faut reconnaître que l'image est idyllique et captatrice et nous faire croire à une prise, avancée de la prise de connaissances, à nous faire croire à une augmentation du savoir (pseudo-savoir), il en est malheureusement rien, le tout reste négatif.

Hier, notre information nous était transmise avec une éducation parentale, une éducation scolaire, un apprentissage de la vie sociale et professionnelle via un métier ou un cycle d'études, secondée par les journaux appelés quotidiens, les magazines, les informations radiophoniques et télévisuelles (JT de 20). Il n'y avait pas encore dans les instances nationales de rubriques des « chiens écrasés », alors qu'aujourd'hui elles en sont truffées.

Le Général Charles de Gaulle l'avait prédit lors d'une conférence à Oxford en 1941 dont je vous livre l'extrait :

« Dès lors que les humains se trouvent soumis pour leur travail, leurs plaisirs, leurs pensées, leurs intérêts, à une sorte de

rassemblement perpétuel, dès lors que leur logement, leurs habits, leur nourriture sont progressivement amenés à des types identiques, dès lors que tous lisent en même temps la même chose dans les mêmes journaux, voient, d'un bout à l'autre du monde, passer sous leurs yeux les mêmes films, entendent simultanément les mêmes informations, les mêmes suggestions, la même musique radiodiffusée, dès lors qu'aux mêmes heures, les mêmes moyens de transport mènent aux mêmes ateliers ou bureaux, aux mêmes restaurants et cantines, aux mêmes terrains de sport ou salles de spectacle, aux mêmes buildings, blocks ou courts, pour y travailler, s'y nourrir, s'y distraire ou s'y reposer, des hommes et des femmes pareillement instruits, informés, pressés, préoccupés, vêtus, la personnalité propre à chacun, le "quant à soi", le libre choix, n'y trouvent plus du tout leur compte. Il se produit une sorte de mécanisation générale, dans laquelle, sans un grand effort de sauvegarde, l'individu ne peut manquer d'être écrasé...
Si le parti de la liberté ne parvient pas, au milieu de l'évolution imposée aux sociétés par le progrès mécanique moderne, à construire un ordre tel que la liberté et la sécurité de chacun y soient exaltées et garanties au point de lui paraître plus désirables que n'importe quels avantages offerts par son effacement. On ne voit pas d'autres moyens d'assurer en définitive le triomphe de l'esprit sur la matière. Car, au dernier ressort, c'est bien de cela qu'il s'agit. »

Comment ne pas prendre en compte les paroles de ce grand homme visionnaire, aujourd'hui c'est facile on efface le passé et l'histoire.

Les réseaux sociaux sont devenus les premiers influenceurs de la planète en Occident comme en Orient, ils utilisent notre paresse et nos faiblesses. Au lieu d'être créateurs, nous sommes devenus des voyeurs, des spectateurs, des suiveurs « followers » en terme mode, celui-ci est hélas bien approprié, nous nous contentons de suivre car nous n'avons plus de véritables valeurs, nous nous contentons de suivre tranquillement, à l'aveugle, toutes les promotions, tous les conseils, toutes les modes induites par les organismes du capitalisme de surveillance, j'ai nommé Facebook, Tik Tok, Microsoft, Amazon, Apple, Google et autres géants, les GAFAM…

J'ai connu Mai 68, j'en ai profité comme tout un chacun, comme tous mes concitoyens, compatriotes des soi-disant avancées et de fin de cycle des Trente Glorieuses, je m'étais laissé prendre par la filière textile très présente en Alsace par hasard ou plutôt coup du sort. La filière était présente depuis des lustres, cela provenait de l'abondance de l'eau et de la proximité de l'industrie chimique. Il y eut pléthore de sociétés textiles aussi bien dans l'impression sur tissus que dans le tissage cotonnier très majoritairement.

Ce textile, ce travail était synonyme de communication, de présence, nous étions en relation avec les leaders du moment ; aussi bien en France métropolitaine qu'à l'exportation, ces maisons s'appelaient : Courrèges, Lacoste, Daniel Hechter, Seidensticker, Dorothée Bis, Betty Barclay ; l'export était devenu mon fief dans ces années 1970/1980.

Certaines sociétés existent encore, d'autres sont ressuscitées et certaines ont disparu. Dans ce que je qualifie de mon monde, il y eut des disparitions, des absorptions, des successions, des naissances, je demeurai dans cette branche vivante et réaliste à étendre mon champ d'activités à trois continents : l'Asie, l'Amérique et l'Europe avec les leaders actuels : Ralph Lauren, Calvin Klein, COS, Uniqlo, Topshop, Hennes et Mauritz, Acné Studio, Gant, Marks & Spencer et j'en passe…

Pour ma part, j'avais dit adieu aux 35 heures, ma première demeure était la cabine d'avion, ma résidence secondaire la chambre d'hôtel quant aux week-ends ils étaient consacrés uniquement à ma famille, parfois hélas écourtés mais jamais annulés, sauf pour les salons où la famille me suivait pour profiter des instants de calme.

Il était toujours gratifiant et réjouissant de voir à New York dans une vitrine de la 5e Avenue chez Donna Karan (DKNY), Polo Ralph Lauren, Macy's, Bergdorf & Goodman ou Saks Fifth Avenue, Bloomingdales, Hennes & Mauritz un modèle fait dans votre tissu, produit en France ; un ressenti pareil était possible à Milan dans le quartier de la Via Napoleone près de la Piazza del Duomo avec un Giorgio Armani, un Max Mara, un Benetton ou à Paris avec un Agnès B., Maje, Isabel Marant, Lacoste.

Il vous faut cependant savoir que durant ces années-là, la remise en question, le jamais acquis étaient présents en permanence, la recherche était très active, la communication entre la Marque et nous même l'industriel, l'usine était extrêmement intense, il fallait se surpasser et dépasser le concurrent avec un facteur temps qui n'était pas compté, mais avait une limite : la date des collections.

Il est difficilement imaginable aujourd'hui à toutes ces petites mains (si elles existent encore : stylistes, acheteurs, designers, assistants, coloristes, modélistes) d'avoir le même rythme que d'antan, ces personnes seraient automatiquement en burn-out, dépassées par le stress et je ne les visionne pas en train de sacrifier des temps de loisirs pour achever un modèle, le couper, l'assembler, le valoriser afin de conserver sa place de leader sur le marché par exemple…

Les individus avaient le sens des valeurs, le sens des grandeurs, du travail bien accompli. Je dis cela pour avoir rencontré des gens hors normes dans le désordre : Gérard Depardieu, Mel Gibson, Karl Lagerfeld, Ralph Lauren, entre autres et le président Jacques Chirac à New York en privé chez Otabé, d'avoir été témoin proche de la catastrophe du 11 septembre 2001 et d'avoir par la suite constaté le changement de comportements des citoyens américains.

Je suis un adepte convaincu, un disciple de ces valeurs en voie de disparition qui sont : le travail, l'académisme, la disponibilité, la souffrance pour la réussite. J'ai assisté au passage du professionnalisme à ce que l'on peut nommer le temps des experts, c'est-à-dire ceux qui ne savent pas.

Cependant, ils défilent à longueur de journée sur les chaînes d'informations, et réitèrent leurs propos lors de leurs présences à longueur de jour, semaines, de mois, qu'ils soient experts en finance, en économie, en psychologie, en sociologie, en politique, ils savent tout, ils connaissent tout, ils peuvent prévoir avec certitude à l'horizon à court terme c'est à dire : « d'aujourd'hui », guère plus loin sous peine de faire, de commettre des erreurs, avec l'excuse toujours présente dans leurs discours éphémères de l'aléa par définition imprévisible ou de l'absence d'une donnée qui vient bouleverser leurs dires.

Sir Winston Churchill disait à propos des experts :

« Rien ne serait plus fatal que le gouvernement des États de se retrouver entre les mains d'experts.

La connaissance experte est une connaissance limitée, et l'ignorance illimitée de l'homme ordinaire qui sait où ça fait mal un guide plus sûr que n'importe quelle direction rigoureuse d'un caractère spécialisé. »

Ils diront forcément en cas d'erreur et erreur il y aura qu'ils ne possédaient pas tous les éléments. Rien qu'un exemple : au début de la pandémie actuelle qui a provoqué cette crise économique mondiale, un passage très difficile pour toutes les économies, ils (les experts) tablaient sur une chute, une récession à long terme qu'ils qualifiaient de vertigineuse (les 2), toutes les branches de l'économie seraient affectées ainsi que les P.I.B. Aujourd'hui, ils tiennent le langage contraire avec des projections qui feront que d'ici l'année tout cela sera du passé et que l'on aura rattrapé, voire dépassé les taux de croissance d'avant la crise ; c'est simplement du pilotage à vue.

Non seulement nous avons cette catégorie de personnes omniprésente, mais le comble de cette histoire est que les nouvelles classes sociales (bobos) qui se disent éduquées les suivent comme les moutons qui obéissent au chien du berger (cf. Nietzsche).

J'ai l'occasion de confirmer mes propos une seconde fois également avec Sir Winston Churchill qui ajoutait aussi ce que la plupart des individus oublient ou omettent aujourd'hui :

« Plus vous saurez regarder loin dans le passé, plus vous verrez loin dans le futur, un peuple qui oublie son passé se condamne à le revivre » et de rajouter : « Un peuple sans passé n'a pas d'avenir. »

En cherchant un peu plus loin, nous trouverons Victor Hugo qui lui précisait : « Le passé amène l'avenir. »

Ce monde nous en sommes pas loin du tout aujourd'hui car au lieu de prendre acte des pensées, des visions de ces grands hommes, on saccage aujourd'hui une statue de Sir Winston Churchill à Londres et une statue du Général de Gaulle a subi le même sort à Paris.

Ce sont des talibans d'un genre nouveau qui réitèrent les crimes contre la culture et la civilisation identiques à ce qu'on fait les vrais talibans envers les statues de Bouddha détruites à Bâmiyân en Afghanistan.

La perpétuation du passé fait également partie de la communication qui elle subit une véritable dégradation que ce soit au niveau de la cellule familiale, de n'importe quelle forme de groupe petit ou grand, que ce soit dans le quartier ou le village, la communication est prise, kidnappée par les médias, les réseaux sociaux via les instruments comme les portables, les smartphones. Ainsi dans les échanges à l'intérieur d'une maison, de chaise à chaise dans une salle à manger la tendance est d'oublier la parole et d'échanger à la même table des textos…

La parole entre la nouvelle génération est devenue rare et précieuse, contrairement à la civilisation orientale qui elle se soutient, parle et commande via l'oumma selon Michel Onfray.

Notre civilisation judéo-chrétienne est-elle à l'affût des dernières nouveautés d'Outre-Atlantique et s'empresse de s'y engouffrer. Alors qu'elle est dans une espèce de nihilisme de sa propre culture et de son passé…

Elle ne sait plus guère construire un avenir, vu la négation de son historique social et géopolitique, de la civilisation même en général, c'est bien la confirmation de la pensée de Sir Winston Churchill. Cependant si les pensées de cet immense personnage semblent obsolètes, elles ne sont que vérifiées dans le quotidien et chaque jour, chaque évènement confirme la véracité de ces dires, il suffit de relire et de comparer à « 1984 » d'Orwell, autre visionnaire.

De manière déontologique, il est nécessaire de toute évidence que si aujourd'hui nous reconnaissons les avancées scientifiques et technologiques extraordinaires, nous devons être dans la capacité de reconnaître ces progressions positives et pouvoir faire la distinction avec celles qui font régresser notre faculté de penser et notre liberté.

Ces avancées sont révélatrices de l'intelligence de notre civilisation qui amasse des prouesses sur le plan de la science et de la technique quotidiennement, ce qui entraîne un problème d'évolution, de rapidité d'assimilation, de captation, de synchronisation de notre esprit, notre mental envers la machine, elle va plus vite, la machine que notre capacité d'absorption, les capacités et vitesses d'absorption n'étant pas les mêmes.

Après avoir marché sur la lune, trouvé un vaccin contre la Covid en moins d'un an, nous sommes incapables de gérer notre propre univers, les différentes économies ; celle du marché, celle du néo-libéralisme, celle de l'écologie et celle du capitalisme de surveillance : elles s'entrechoquent.

Nous sommes grâce à la communication mise en place devenus des » Followers » (des suiveurs), c'est la nouvelle étiquette à laquelle nous pouvons prétendre, elle n'est pas très glorieuse.

Il faut également concevoir que cette nouvelle identité, vocation est et subie une véritable dégradation de la vraie communication au sein du dialogue actuel, qui lui est devenu négationniste dans toutes ses formes, le dialogue est le premier à en souffrir, ce sont des exposés qui abandonnent tous les signes de responsabilité, il n'est recherché que le scoop, la sensation, avec évidemment une perte des données réelles essentielles, et de leurs particularismes et singularités, avec une perte d'initiatives, avec ce que j'ai relevé.

La recherche du scoop, la banalisation, la vulgarisation, l'amalgame programmé, c'est la priorité, c'est la fin de la culture et des richesses, des différences. Nietzsche le soulignait, soit une acceptation d'autrui, soit une mise en troupeau.

Internet et ses colonies, ses satellites, ses piliers qui se nomment Apple, Microsoft, Netflix, TikTok, Amazon, Facebook, Twitter, et autres… constituent la chaîne et la trame pour former la meute nietzschéenne et, ils, eux n'ont qu'un but nous compter parmi les suiveurs, les accrocs de l'information et sélectionnent celles qu'ils veulent bien nous transmettre ; qu'ils nous fournissent afin de nous enfermer le plus possible dans leur environnement via les supports dits modernes comme les tablettes, smartphones, portables, médias diffusés sur les téléviseurs et prétextent nous faciliter notre vie et nos tâches dites quotidiennes et de loisirs et d'amplifier le profit des sociétés du capitalisme de surveillance. Dans cette logique de communication, la parole est absente, remplacée par l'image.

La civilisation judéo-chrétienne est dans une phase que je qualifierai de « Poids Morts » selon le diagnostic du Boston Consulting Group, cela pour tous les territoires européens et d'outre atlantique (Amérique du Nord), par contre elle est en phase « Star » dans les autres contrées de la planète (exemple les Philippines, l'Amérique du Sud).

Il en va de même pour la civilisation de culture islamique, elle est en expansion partout et se fortifiera démographiquement, suivant un précepte du Coran. Il faut ajouter à ce phénomène que la civilisation judéo-chrétienne pour pallier son destin est à l'affût de toute nouveauté, qu'elle soit spirituelle ou technologique, le plus souvent issue du Nouveau Monde.

Ces nouveautés technologiques ou nouvelles écoles de pensées, proches d'un nihilisme convulsif et récurrent, ont leurs origines dans la chute du conservatisme socialiste et de l'écroulement du communisme dans la sphère occidentale, les nouveautés technologiques quant à elles sont la résultante du plus grand profit au moindre effort.

Dans cette nouvelle civilisation décadente, les dialogues se font sans vous, vous répétez simplement la litanie déversée par ces nouvelles sources et canaux de dialogue et de communication avec son cortège de « Followers ».

Nous voguons, surfons sur les réseaux sociaux ce qui se traduit par une perte des initiatives personnelles et particulières, une absence de la personnalité propre de l'individu à tous les stades ; nous pouvons le constater par le vestiaire en vogue, dernier cri : le jogging, les baskets la casquette et la besace ; l'aspect guerrier prend le dessus ou l'air écolo et bobo peuvent prédominer, c'est au choix.

À cela, il faut ajouter la gestuelle, le langage syncopé issu de la musique rap… C'est la confirmation de la mise en cohorte (selon Nietzsche).

Les institutions d'internet, celles que l'on nomme les GAFAM : Apple, Microsoft, Facebook et consœurs... sont les leaders du nouveau capitalisme, les dirigeants de cette nouvelle ère dans laquelle nous sommes entrés, ère du capitalisme de surveillance, successeur du néo-capitalisme, nous rendent dépendants de leurs technologies et outils.

Nous sommes de ce fait obligés de naviguer avec des interfaces entre ces deux ères, l'une décadente, l'autre ascendante entre le présent et le futur (celui d'Orwell).

Si par malheur vous êtes absents volontairement dans la base de données de l'un de ces géants vous devenez systématique et automatique un « réac », un penseur obsolète et ringard naturellement classé comme antimoderne, cela à tort, mais ce n'est pas important.

Il faut ajouter, souligner un point important, déjà la communication, cette nouvelle communication est devenue virtuelle, aucune présence physique n'est requise, elle délaisse et abandonne le réel et se propage, se prolonge dans la vie quotidienne aussi bien privée que professionnelle en soumettant le goût du vrai à l'effort, à la peine et en cultivant ceux-ci : la peine et l'effort dans les loisirs, les sports, le travail, il faut les chercher et c'est une quête permanente de la perfection. Il est extrêmement difficile de les trouver, mais pas inaccessible dans ce que l'on nomme la vie courante : famille, éducation, travail ; car l'individu courant, moderne est aujourd'hui fatigué, épuisé, en état de stress et d'insatisfaction, très facilement en situation de burn-out, il se juge non satisfait et pas considéré, reconnu, bref tous les maux des jours présents qui eux dressent un piètre tableau de sa propre pauvre existence et de son insatisfaction permanente où le loisir est le seul soin palliatif.

Voilà un tableau pas prometteur des personnages constituant notre société dite contemporaine.

Il est un fait, un constat que la communication se réalise au quotidien via un support, un réseau digital ou numérique et provoque chez l'être concerné un état de conditionnement, un état permanent de recherche de la soi-disant information qui lui permettra de justifier son comportement dans l'instant présent.

Il n'y a plus aucune plage de temps pour la mise en place d'une architecture de la pensée, du savoir ; nous allons au plus facile dans la lecture, nous simplifions l'écriture, en introduisant la vulgarisation, nous banalisons la réflexion, l'esprit qui devrait se mettre en place, avec l'introduction de l'abolition du genre : masculin - féminin, aussi bien en philosophie que dans la vie quotidienne, en mettant en avant le genre neutre de la langue anglo-saxonne nous perdons systématiquement tout le relief de la pensée du « Siècle des Lumières », avec l'abolition des différences.

L'individu lambda est dans l'acceptation, la soumission à un modèle unique, pour les uns c'est le modèle guerrier, pour les autres le modèle « bobo », il en va de même pour le modèle bio pour ne pas dire « écolo ». Ils deviennent et c'est un point important des experts en tout genre et ils ne savent rien, n'ont plus aucune connaissance et personnalité, sauf celles qui leur sont dictées, via les institutions et réseaux des sociétés du capitalisme de surveillance avec ses ramifications satellitaires en oubliant le plus possible l'académisme qui lui dépend du passé et de l'histoire, de l'art et de la culture.

Il y a une lobotomie de l'esprit qui est de manière systématique mise en place ; le premier loisir n'est pas le théâtre, pas le cinéma, encore moins la lecture ou la musique mais les « Jeux vidéos », les loisirs contribuent fortement à celle-ci.

Les informations, les médias, même le cinéma et ce que l'on nomme les arts aujourd'hui font partie intégrante de cette dévaluation de l'esprit. Elle se fait à grands pas et bientôt nous ne serons plus lire correctement, ce qui est déjà le cas du « Vieil Allemand Gothique » ou du « Français de la Renaissance » il est vrai pourquoi lire alors que les images suffisent et se suffisent à elles-mêmes et peuvent être remplacées par d'autres images, alors qu'un texte lu ou écrit amène automatiquement une réflexion, une volonté d'enregistrement de ce fait plus difficile à faire disparaître, effacer de l'esprit de l'individu.

Au Moyen Âge les gens étaient corvéables, aujourd'hui il leur est demandé d'être malléables donc gouvernables et prévisibles, pour cela l'on utilise le sensationnel, la crainte, la peur, une absence du raisonnement, une disparition de la force de penser, de l'esprit qui pourrait en émerger.

Ce n'est plus l'individu qui pense, mais Big Brother et ses algorithmes qui nous inoculent des formules subjectives et directives de manière directe ou indirecte, voire subliminale ceci afin d'obtenir une belle uniformité de ce qui peut éventuellement rester d'esprit, que nous soyons toutes et tous des marionnettes et des pantins.

À la place de vous former à l'esprit d'un Beethoven, de vous insuffler quelques idées de Kierkegaard, de vous donner la verve de Shakespeare ou d'un Molière, la volonté d'un Karajan ou Noureev, la créativité d'un Einstein ou la ténacité d'un Churchill, d'un Napoléon ou d'un de Gaulle (mis au pilori tous les trois ! les autres aussi…) Big Brother vous lobotomise.

Ils sont tous ringards, donc jugés inutiles dans la décadence voulue qui est la nôtre, ils sont qualifiés d'anti-humanistes et d'oppresseurs de surcroît. Certes il y a des efforts à faire, mais nous les confions aux machines, celles qui remplacent la force, l'action humaine, celles qui se substituent à la réflexion, les données algorithmiques, les produits industriels font que les efforts à faire sont de moins en moins importants, on demande à la machine et l'on attend le résultat. Le raisonnement, force de l'esprit est contenu, freiné, idem pour l'effort physique où la machine prend le relais, nous sommes entrés dans le système : « nous laissons faire ».

Nous nous retrouvons là bien dans les sagas, les films de science-fiction genre « Terminator » ou « Démolition Man » et j'en passe, c'est là que l'on peut dire que la réalité dépasse la fiction.

Juste quelques individus cultivent encore une part d'individualisme, une particularité qu'ils doivent adapter en affichant des différences, un savoir qui se veut neutre pour détenir le management de son comportement présent et futur.

Il est de nos jours notoire que l'on dérive, ceci via les moyens en usage, jusqu'aux derniers en vogue : les réseaux sociaux, ils sont nombreux, casseurs d'opinions, formateurs de clones dans une uniformité la plus banale et idéalement la plus parfaite possible, selon l'image voulue. Cette politique est à la fois un oxymore et un syllogisme.

Hier lors de la création du Marché Commun ou de ce que l'on a nommé C.E.E., aujourd'hui devenu un gnome gigantesque qui s'appelle U.E. (Union européenne), il y eut par exemple une politique agricole dite de remembrement, cela signifiait : adieu les bosquets, les futaies, les haies, bonjour les champs sans limites, les parcelles prévues pour des engins agricoles à la dimension américaine.

Je vous laisse imaginer les différences, grandeurs, les superficies et les machines correspondantes ; sans compter les financements de celles-ci. Actuellement, c'est le retour à la parcellisation dite écologique, aux particularismes régionaux, territoriaux alors que nous assistons à un appauvrissement culturel, une fragilisation de la nature intellectuelle, qui d'un côté entraînait l'enrichissement de la biodiversité et de l'autre côté une vraie disparition de la culture. L'écologique est de retour dans la paysannerie, c'est du vert. Au contraire, la monotonie, le gris, la non-couleur est arrivée dans la vie quotidienne. Le terrain lui a changé dans les 2 cas.

La nature de l'individu moderne a été gommée, elle a perdu sa particularité et son individualisme, il (l'homme) est devenu politiquement correct sans aucune tonalité ni couleur. Quelle soupe insipide, indigeste que cette nouvelle couleur que l'on nous impose, malgré les origines multicolores de nos civilisations, mais en les mélangeant sans cesse et à l'infini nous obtenons un gris lavasse monotonal et insipide, bonjour la tristesse…

Nous sommes arrivés à ce que tout se conjugue au pluriel, je suis « nous », nous ne sommes plus elle ou lui mais vous ou on totalement neutre ! il y a plus de genre.

Adieu Van Gogh et ses couleurs, au revoir Beethoven ou Mozart dirigé par un Abbado ou Karajan, au panier les écrits de Camus ou de Malraux et oublions les visions d'un Sir Winston Churchill ou d'un Général de Gaulle…

Nous vivons dans un monde où la magnificence, la plénitude, l'autosatisfaction et la satisfaction sont de mises et promises à tout le monde en respectant le privilège de tout un chacun en prônant évidemment l'égalité parfaite dans la niaiserie, alors que chacun veut préserver ses petits avantages, et que nul n'ignore que pour accéder à un degré supérieur il faut passer par un effort pour accomplir un travail bien exécuté, réaliser une œuvre artisanale ou artistique, la souffrance allant de pair, mais il faut l'accepter, il en va de même pour toute œuvre philosophique qui vous replonge dans le passé et l'histoire.

Il n'y a de dignité dans le travail que dans le travail librement accepté, et c'est déjà un défi que d'y parvenir.

Il est à noter et cela malheureusement la majorité des individus rejette cette pensée toute simple :

« Le bonheur est fait des malheurs que l'on a pas. »

Voilà une pensée qui peut former un adolescent, une femme, un homme, cette pensée peut initier à la vie dans sa réalité, sans la dénaturer, en conservant la beauté des choses, en hiérarchisant les ressentis. Ainsi que les choses sont des objets matériels telles des toiles, des sculptures ou autres, des choses immatérielles telles la musique, la danse, une lecture qui apporte une pensée, c'est la force de l'âme qui les transcendera.

Hier nous étions dans cette dynamique, ce mouvement, nous nous appliquions, nous y avancions, nous faisions l'effort ; aussi bien dans le cercle familial qu'à l'école, dans un espace associatif ou au travail ; la peine et l'effort faisaient partie du quotidien et de manière automatique induisaient une estime de soi, une reconnaissance et éventuellement une récompense.

Notre monde moderne fait que nous soyons protégés par une multitude de lois et pourtant nous n'arrêtons pas de revendiquer plus de liberté, plus de protection, la demande est permanente d'où une nécessité de légiférer toujours davantage avec la conséquence de restreindre notre liberté d'action.

C'est ainsi grâce aux lois et à la jurisprudence des tribunaux que ce phénomène est devenu gravissime aux USA. Ce troisième pouvoir, c'est-à-dire le pouvoir juridique, prend de plus en plus d'ampleur avec le soutien des médias (quatrième pouvoir), va jusqu'à changer les réflexions quant à la Constitution.

Nous sommes à l'aube d'une nouvelle répartition des pouvoirs et de leurs poids dans la démocratie. Partout au nom de celle-ci les droits sont rognés, nous avons le droit de ne rien faire et cela est encore de trop.

Toujours Outre-Atlantique le droit à l'avortement qui est une loi fédérale est sans cesse mis à mal par les arrêtés juridiques locaux en créant des déserts par l'absence de cliniques capables de l'exécuter.

Un simple exemple très significatif : c'est ainsi qu'au Kentucky, en Ohio, en Géorgie, Mississippi et Louisiane le droit à l'avortement a été abrogé par voie judiciaire.

Voilà un cas, il y a également l'ingérence des grands de l'internet : les Apple, Microsoft, Google, Amazon qui en utilisant les réseaux sociaux essaient ardemment de vous connaître afin d'améliorer le plus possible votre profil pour pouvoir vous accrocher, vous vendre des modèles avec lesquels ils tireront un profit, jouant avec les algorithmes afin de créer un besoin chez les consommateurs prétextant la mode, l'utilité du moment.

Ils rentabilisent ainsi leur capital, leur banque de données (vous) et deviennent les leaders incontestés du capitalisme de surveillance et du capitalisme néo-libéral.

Je vous invite à faire l'expérience ou à demander à une de vos connaissances de la faire : « Faites passer une envie à l'opposé de vos besoins sur les réseaux concernés et vous verrez apparaître une multitude d'incitations à aller ou acheter un produit, un service correspond à cette recherche. »

À partir de ces mouvements, ils « Les GAFAM » arrivent à cerner votre personnalité, à percevoir votre profil et vos envies et essaieront de vous guider, de vous faire les propositions adéquates, à vous mettre dans l'acceptation d'un projet politique, sociologique ou économique.

C'est ainsi, lors de la campagne présidentielle d'Obama que des données significatives sur plus de 250 millions de citoyens américains ont été recueilli. Ces données avaient un vaste éventail, elles allaient du niveau comportemental au niveau relationnel et elles étaient collectées sur les sites des réseaux sociaux pour être intégrées au site de la campagne, grâce à Facebook.

Le journaliste Sasha Issenberg, qui a documenté ces développements dans son livre « The Victory Lab », cite un des consultants politiques d'Obama en 2008 qui comparait la modélisation prédictive aux instruments d'un diseur de bonne aventure :

« Nous savions pour qui... les gens allaient voter avant même qu'ils l'aient décidé. »

Voyez l'évolution de l'iPhone, depuis sa création : treize générations de cet instrument se sont succédé, de plus en plus sophistiquées, jamais au grand jamais exploitées à 100 % de leurs capacités, mais il est devenu socialement un signe de standing, un must nécessaire.

Il fit partie des instruments de la campagne de 2008... Il serait normal de passer un stage d'utilisation, passer un examen de capacités à gérer le potentiel offert, il est évident que les géants s'allient entre eux afin d'accroître notre dépendance via les différents réseaux offerts et vous infléchir à leurs propositions matérielles et mentales.

C'est ainsi que nous suivons, en abandonnant volontairement la conversation présentielle pour passer notre temps à tchatter sur les écrans disponibles, envoyer des messages, ne plus avoir son correspondant en face ou en direct, cela simplifie la communication, la situation, l'utilité des réseaux sociaux devient primordiale que cela soit dans un dialogue ou pour émettre une opinion quelconque déjà suggérée et/ou téléguidée. En réalité, tout devient permis à condition de ne pas avoir son interlocuteur en face.

Dans le même laps de temps, dans toute la civilisation néo-occidentale, américaine et européenne le goût de l'effort aussi bien physique qu'intellectuel s'est amoindri, étiolé, pour rester un tant soit peu positif.

La seule exception se trouve être dans ce magma organisé de nonchalances le « sport » qui lui peut être vecteur d'une identité et personnalité pour l'individu lambda qui s'y identifiera, lui permettra de mesurer ses performances en notion d'épuisement et d'équipement à l'aide des accessoires mis à sa disposition sur le marché, les plus tendances possibles afin de conserver ou d'acquérir le niveau de standing requis par son groupuscule, par la société : exemple la montre reliée au smartphone qui analysera le rythme cardiaque, les calories brûlées, etc.

Le seul présentiel requis à ne pas omettre est l'obligé « After » d'Outre-Atlantique, chez nous l'Apéro ! et l'endroit « In » qu'il faut connaître, y être connu et qu'il ne faut absolument pas rater.

C'est ainsi que l'on assiste à une mise en place d'artifices parfois clinquants, qui si on analyse bien cette chose, montre de toute évidence la décadence de l'individu, de la personnalité, de ses relations, du niveau de la civilisation.

Ce n'est pas une nouveauté, Albert Camus le disait déjà, je vous le cite :

« La pente la plus naturelle de l'homme c'est de se miner et tout le mondes avec lui. Que d'efforts démentiels pour être seulement normal ! Et quel plus grand effort encore pour qui a l'ambition de se dominer et de dominer l'esprit ? L'homme n'est rien de lui-même… Il n'est qu'une chance infinie.

De lui-même, l'homme est porté à se diluer de lui-même… Mais que sa volonté, sa conscience, son esprit d'aventure l'emportent et la chance commence à croître. Personne ne peut dire qu'il a atteint la limite de l'homme…

À chacun de nous, il revient d'exploiter en lui-même la plus grande chance de l'homme, sa vertu définitive.

Le jour où la limite humaine aura un sens, alors le problème de Dieu se posera. Mais pas avant, jamais avant que la possibilité ait été vécue jusqu'au bout. Il n'a qu'un but possible aux grandes actions et c'est la fécondité. Mais d'abord se rendre maître de soi-même. »

Ainsi dans cette communication moderne, dans cette modernité tout court, la notion de valeur du travail et de ses outils est dans la vie occidentale amenée à un niveau que je qualifierai de pas honorable. Il y a d'ailleurs peu de réseaux sociaux qui mettent le travail en valeur, mais ce sont toujours des relations, des communications, des loisirs, des amitiés qui n'en sont pas.

Le cheminement est identique pour l'œuvre. L'œuvre d'art dégageait hier une émotion, un sentiment.

Il suffisait d'être en sa présence, l'œuvre, et cela sans aucune explication ni de l'exposant ni du créateur, vous prenait, vous atteignait au plus profond de vous-même.

Vous ressentiez de manière directe ce que le créateur voulait faire passer, point d'artifices, il a souffert durant la genèse de l'œuvre, c'est perceptible de par sa beauté, il arrive ainsi à transmettre des émotions fortes et profondes et en plus l'on n'a pas besoin d'apprendre, de chercher ou d'essayer de comprendre, cela s'applique aussi bien à une peinture, une pièce de musique, une symphonie, un opéra ou un concerto, voire une sculpture…

Là nous pouvons passer de Verdi à Mozart, de Beethoven à Gauguin, de Van Gogh à Wagner, Chopin ou Bach sans omettre un Brancusi, Picasso et Modigliani parmi d'autres…

Partout les sentiments sont présents : les douleurs perceptibles et les joies aussi. Il n'y a pas nécessité à quelque code que ce soit, l'œuvre est présente, lisible et crée une intimité et sensibilité individuelle et naturelle chez l'individu spectateur ou auditeur. Il n'y a point besoin de gigantisme, de déstructuration, de désorganisation, de décompression, de culot ou d'absences de délicatesses, au contraire cela peut nuire à l'œuvre elle-même sous prétexte de l'affirmation d'un quant-à-soi mal placé.

Juste un exemple : je suis un fan, un aficionado, irréductible au sens noble du terme du « Don Giovanni » de Mozart, alors imaginez ma joie, Arte transmettait en direct pour l'ouverture du festival, festival anniversaire des 100 ans, cette œuvre magnifique et majestueuse. Tous les ingrédients étaient là : le lieu, le passé, la musique, même le chef d'orchestre que j'ai apprécié lors de la journée Beethoven sur cette même chaîne avec une interprétation magistrale de 7e symphonie.

Mais hélas, certains egos ont fait que d'œuvre magistrale cela aboutisse en une litanie impropre à l'écoute et à la perception visuelle, elle (l'œuvre) était gâchée par un snobisme, boboïsme et narcissisme avec une mise en scène de très mauvais goût et tapageuse, des superficialités démesurées et une interprétation qu'elle fut vocale ou musicale pas digne d'un cabaret de seconde zone. (Je me répète volontairement) C'est ainsi que l'on arrive à égarer, perdre la beauté, l'âme d'une œuvre.

Je suis aussi un grand fan de Verdi, alors imaginez mon impatience pour la soirée d'ouverture de la Scala : un « Mac Beth » avec Anna Nebtreko, quelle belle soirée en perspective sur la même chaine culturelle…

…

La salle était pleine, les spectateurs en tenue de gala, nous eûmes droit au traditionnel hymne national italien et ce fut l'ouverture du rideau avec un Riccardo Chailly à la baguette.

Hélas dès la première seconde, nous étions en présence d'une véritable macédoine de légumes, c'est-à-dire de tout et de rien, de n'importe quoi et n'importe comment : des épées, des voitures, des cravates, des échafaudages, pardon j'oubliai des buildings, des costumes inadéquats, inappropriés avec des monte-charges. C'est comme si les metteurs en scène avaient décidé de se mettre en concurrence pour dénaturer l'œuvre le plus possible, la rendre plus nulle qu'il soit possible d'imaginer. C'est une recherche dans la perfection de la nullité, aussi bien à Salzbourg qu'à Milan.

Elles furent créées dans l'irrespect le plus total de la volonté de pères créateurs, des œuvres prestigieuses qui devaient normalement perdurer. L'accessoire devenait plus important que l'œuvre elle-même et son environnement historique. Le kitsch le plus malvenu était aux rendez-vous et un véritable gâchis dans le cas de Mac Beth pour les voix.

Lorsque vous êtes dans une salle pour un opéra ou pour un concert, ou un ballet où vous êtes spectateur et auditeur attentif, attentionné, prêt à l'émotion que cela soit pour une symphonie de Beethoven, un opéra de Verdi, un ballet classique type « Le Parc », vous allez vous trouver en contact avec le créateur et les émotions qu'il désirait transmettre trouveront preneur.

Nous aurions le droit de nous demander au nom de quelle référence un soi-disant disciple aurait le droit car il n'est ni illettré, ni coiffé d'un bonnet d'âne ou analphabète, de tourner en dérision une œuvre immortelle, un monument de l'art lyrique en la faisant basculer dans le ridicule.

Pour rester dans une mouvance identique, à quelques kilomètres au sud, à Rome précisément, à la villa Médicis, dont la genèse remonte au 17e siècle, voilà que l'on critique l'aspect « colonial » de certains décors, alors que sont passés en ces murs : Baudelaire, Gounod, Massenet, Debussy, Manet, Delacroix et Berlioz, par exemple…

Comment est-il possible de réduire des siècles d'arts accumulés ; de ces lieux émergent les cultures, nos cultures, notre passé, notre histoire contemporaine, notre civilisation occidentale.

Ce nouveau négationnisme, cette autocensure devenue permanente issue de la culture puritaine d'après « Pérestroïka », reprise par la gauche déconfite pour essayer de parer à la déliquescence de la sociale démocratie et la chute du « Mur de Berlin », elle se stimule en tentant de rester en scène, d'être présentée malgré son courant minoritaire comme l'école des pensées du jour avec ces tendances « woke » et de cancel culture dans notre quotidien occidental. C'est une prise en otage d'une population avec une culture inférieure et en manque d'éducation.

Si ces courants n'interfèrent pas, vous passez alors à condition que l'œuvre soit jouée, interprétée au niveau requis à pas seulement une simple exécution mais à l'univers désiré et ressenti par son créateur en découvrant que celui-ci est à votre portée, l'amour étant une chose grandiose et la pureté pas un simple mythe.

Cela peut rejoindre ce que pouvait ressentir un Reinhold Messner : c'est le temps d'un moment, d'un instant que pouvait ressentir au sommet d'un 8.000, c'est aussi le ressenti d'un Éric Tabarly après sa traversée en solitaire de l'Atlantique.

L'effort, l'exploit, l'œuvre d'art sont étroitement liés. L'humain a à voir avec cette grandeur, juste un aparté sur l'humain : Tabarly avant de partir pour le transatlantique avait repéré un lopin de terre à vendre, il topa avec le propriétaire en disant qu'il l'achèterait dans le futur dès que sa situation le permettra pour y poser une longère, ce fut une parole entre deux Hommes et elle fut tenue pendant dix ans ; imaginez cela de nos jours, c'est devenu impossible, la parole n'est plus prise en considération.

Mais revenons à l'œuvre, à l'art, à l'artiste, c'est toujours une combinaison, une composition, une communion des trois, la symbiose se réalise une fois l'œuvre achevée dans une exultation de joie maximale pour le créateur ; que cela soit un tableau, une pièce de musique, une sculpture, un écrit sous forme de roman, poème ou livre.

Il y a eu forcément pendant puis même après pour le créateur un déchirement, l'émotion pour son disciple (spectateur, auditeur) qui la perçoit et la rend intemporelle et immortelle à condition que l'on ne la détruise de manière volontaire.

L'œuvre d'art a pour origine la pensée, l'aptitude de l'être humain de pouvoir penser, de pouvoir exprimer des sentiments, les siens en tant qu'admirateur, fan ; ceux du créateur qui font procéder à la transfiguration, la métamorphose de celle-ci de la matière à l'esprit, l'éther.

Une atonie

Le goût de l'effort a un corollaire : le risque. Il est présent en permanence dans les civilisations en expansion ; pour ne pas employer le vocable « conquérante ».

Ce fut le cas de l'Occident qui aujourd'hui se défend, se débat afin de pouvoir se préserver une place conséquente sur l'échiquier mondial alors qu'il en fut le dominateur.

Les codes ont changé, hier l'Occident travaillait et fournissait le tiers-monde, c'est ainsi que l'on appelait les pays en voie de développement.

Les habitants de l'Inde coloniale étaient vêtus avec des tissus issus de manufactures et usines textiles anglaises, cela démontrait la domination anglaise. La France, la Belgique et l'Allemagne, dans un triangle Calais – Hanovre – Bâle, fournissaient eux le charbon, les minerais de fer, la fonte, l'acier, les alliages et l'industrie chimique allaient de pair, ainsi que les machines textiles qui en découlaient, sans omettre la branche textile.

Les communications se faisaient elles de plus en plus rapidement, le développement du rail en Europe et aux USA était exponentiel, dont la France détenait la palme de leader technologique.

Ces pays : l'Amérique et l'Europe ont mené une politique dominatrice et colonialiste jusqu'à l'avènement du premier conflit mondial. Dans ce mouvement, l'Occident entraînât l'Empire du Soleil Levant à compter de l'ère Meiji et l'Occident installa sa domination de manière planétaire suite aux effondrements consécutifs des empires russe et chinois.

Il faut préciser pour cela, qu'une culture ne meurt que par sa propre faiblesse. En reprenant ces termes exacts dits par André Malraux, nous sommes en plein dans le débat : communication – travail - œuvre - action ; ces quatre éléments en sont les composantes. Ils ont forme de postulat pour moi, et fondamentalement reconnu par de grands hommes que le présent est le fait du passé nécessaire pour construire l'avenir.

Il faut cependant remarquer qu'aujourd'hui avec les moyens actuels de persuasion que nous sommes en train de l'anéantir, de la démantibuler lentement pièce par pièce par une lente érosion et dérision où la civilisation des loisirs est entièrement partie prenante ; j'entends par là, les loisirs, les vacances, les oisivetés, les farnientes, les plaisirs secondaires et superficiels et le vouloir de « non-connaissance », en se concentrant sur juste le désœuvrement du moment présent.

Il y a toujours un grain de poussière pour faire grincer, gripper, bloquer cette machinerie, cet élan vers le futur en sapant la base sociétale.

Je viens d'apprendre, d'entendre ainsi que dans la corporation des artisans coiffeurs, chez l'un de coiffeurs de cette corporation l'on ne travaillerait plus le samedi : le salon sera fermé ; la raison était le manque de personnel postulant pour assurer le fonctionnement du samedi, le patron gérant quant à lui ne trouvant pas de candidat ouvrier pour ce même jour, celui du samedi, il a donc préféré assurer ses services pour le restant de la semaine.

Ainsi, adieu à la séance de coiffure pour un mariage le samedi matin par exemple. Mais le pire est que ce grain de sable peut entraîner toute une corporation dans un mouvement d'abandon du samedi travaillé ! Si l'un commence, les autres pourraient être dans l'obligation de suivre, les salariés les y obligeant.

C'est une porte ouverte à la fermeture des salons de coiffure le samedi, ceci dans un avenir pas très lointain si les syndicats s'emparent de l'affaire et les salariés postulants suivent.

Dans une idée identique, nous sommes loin des temps où des gens normaux pouvaient faire à l'identique, et j'en fus, « d'un monsieur Lino Ventura, monsieur Jean Gabin, messieurs Michel Audiard et Bernard Blier » qui faisaient la tournée des restaurants du début de la nuit jusqu'à l'aube, ils finissaient aux « Halles », nous aussi, soit au travail avec des collègues, soit en famille, aujourd'hui cette profession peine également à trouver les employés nécessaires pour assurer un service satisfaisant. Déjà, hélas, de nombreux établissements affichent des horaires stricts et limitatifs.

Victor Hugo disait ouvertement de la liberté : « La liberté commence où finit l'ignorance. »

Nous sommes enfermés dans une sorte de cercle vicieux, aujourd'hui, car l'effort n'est plus consenti, la nature elle-même est conditionnée, sujette à la liberté issue de la modernité, elle en est la garantie, vu que la liberté commence dans la rigueur. Il faut savoir et être responsable à la fois et ne pas zapper sur un écran quelconque en rejetant la seule et vraie responsabilité sur autrui. Qui dit effort, dit au minimum un brin de volonté, c'est cette volonté qui amène la création soit personnelle et individuelle, soit la création artisanale (seul ou à plusieurs), voire la création artistique.

Cette volonté est un acte de choix et le choix est la résultante de la pensée, chose aujourd'hui mise aux oubliettes. Nous ne pensons plus, nous faisons que répéter ce que l'on nous serine à longueur de temps, de journée à l'aide de tous les supports modernes, cela entraîne effectivement une pénurie réelle de création.

Nous ne sommes, selon notre civilisation actuelle que dans une phase de revendications de maintien de nos privilèges acquis sous exclusion des excuses passéistes et des pardons politiques, alors que le fondement est de choisir entre la conscience et l'égoïsme. La personne qui ose choisir la conscience est un individu libre, l'autre est un esclave de la modernité.

Il ne faut pas être devin pour savoir que tout est un éternel recommencement tel les quatre saisons, le cycle lui-même, celui des civilisations suit un rythme avec des apogées et des décadences, la différence réside uniquement dans les espaces-temps, le schéma est lui à l'identique, c'est-à-dire le même.

Nos sociétés visent aujourd'hui un seul absolu : le risque zéro…

– Zéro risque pour la sécurité ;
– Zéro risque pour l'effort ;
– Zéro risque pour l'écologie ;
– Zéro risque pour la croissance.

En fait l'on souhaite l'excellence partout, avec aucun incident à la clé, ou l'erreur de trajectoire qu'elle soit due au présent ou au passé n'est pas autorisée.

En plus si le passé présentait des incidents cela serait le moment de les acter dans une démarche constructive en reconnaissant que « c'était une erreur » et là nous sommes dans la phase du politiquement correct, de la politique du pardon qui voit le jour et se trouve en soumission par rapport à nos actes antérieurs bien qu'à ce moment-là ils étaient opportuns et dans le raisonnement de l'époque.

A contrario, la planète sportive va à l'encontre de la civilisation contemporaine, par une galvanisation, une recherche de records, d'une victoire, d'un effort, en nous installant dans une sorte de récession intellectuelle, sociologique et psychologique avec les courants dit à la mode qui sont les mouvements : woke et cancel culture.

Ces deux mouvements minoritaires et passéistes provoquent et contribuent largement à l'établissement et l'aboutissement d'un radicalisme, d'un néo-féminisme, d'une absence de débat intellectuel qu'il soit dans le cercle privé ou le milieu professionnel, de toute façon il aboutira irrémédiablement à une volonté de briller, une surenchère pour gagner, nous nous comportons à la manière de participants à un jeu de société dans lequel nous sommes des « warriors » (guerriers).

Dans cette forme de communication dite moderne, contemporaine qui est orchestrée en partie par ces minorités influentes dites progressistes ; mais de facto plutôt négatives destructives et passéistes ; par les géants du Net, ils profitent d'un débat intellectuel qui est amoindri, appauvri et réprouvé et ils sévissent, agissent, fonctionnent dans une bulle, une sphère communicationnelle issue des réseaux sociaux en place, nouvellement développés durant notre ère, et profitent de la déculturation de l'ensemble des populations occidentales.

Comment est-il possible de former, faire avancer, faire progresser une société dans laquelle l'esprit humain est mis sous une espèce de cloche protectrice voulue par l'ensemble des institutions publiques et privées afin qu'elles puissent régner et cela malgré et avec les avancées, essors technologiques, progrès scientifiques qui sont mis à la disposition de l'humanité dans les domaines de la médecine, de la science fondamentale.

Dans les mondes de l'industrie et du commerce ; la finance elle s'érige en tant que gérante de la totalité des secteurs concernés. Elle s'octroie tous les avantages en recherchant une optimisation permanente au meilleur de ses intérêts de ses profits. C'est ainsi que les progrès sont exploités afin d'améliorer les profits et les pouvoirs des leaders de l'économie du capitalisme de surveillance, en prenant le relais du capitalisme néo-libéral.

Les progrès de l'intellect, de la pensée, du savoir à tous les niveaux sont dirigés, voire freinés afin d'instaurer un niveau dont le profil est bas grâce à une cristallisation de la population, cela permettra à l'avancée technologique de gérer le niveau et la destination orchestrée par les institutions, qui elles détermineront les niveaux du savoir et de la pensée des populations concernées.

La critique est au créateur ce que le marchand est au producteur. L'âge marchand (grâce au lobbying) voit aussi la multiplication asphyxiante des commentaires des experts en tout genre, intermédiaires entre le producteur, les institutions, le privé et le public. Ainsi, ce n'est pas une nouveauté qu'aujourd'hui nous sommes en manque de créateurs, c'est que simplement il y a trop de commentateurs, d'éreinteurs, critiques, ce sont eux qui minimisent, qui orientent, qui diluent, qui noient, l'insaisissable poisson qui est l'objet de la création dans leurs eaux troubles et vaseuses.

Si nous avons repris le texte d'Albert Camus, c'est dans le but avoué de pouvoir constater de manière simple et cependant surprenante : « que les temps changent dans la forme, le fond de ceux-ci hélas ne change pas, nous avons beau passer au travers des épreuves, des crises, des guerres ; nous nous jetons toujours dans la fosse grande ouverte à la recherche d'un faux renouvellement proposé comme changement hélas ce sont des façades. »

Si nous subissons, si nous sommes envahis, nous sommes aussi submergés par un déferlement, tsunami d'experts, que nous avons formés dans nos universités, c'est une sorte d'autodécharge, de déculpabilisation d'avoir fait ou pas fait ; ils le sont dans toutes les catégories, tous les secteurs et de tous les bords. Ils sont eux-mêmes courtisés, consultés par tous les médias et toutes les institutions et de ce fait envahissent notre vie publique et privée par leurs interventions dans l'espace médiatique qui leur est offert en nous assurant de leurs volontés de nous faire profiter de leurs savoirs.

Leurs connaissances, leurs savoirs certes louables avec une communication travaillée qui leur paraît juste, est juste un rassemblement d'hypothèses qui ne leur permet aucune prévision fiable même dans un avenir très proche, ils ne tiennent aucun compte du passé que de l'évènement et de l'instantané.

L'esprit critique a été déployé, développé en Europe occidentale dans les universités qui elles (les universités) diffusaient des courants de pensées différentes selon leurs origines, ils étaient issus de la Sorbonne, de Bâle, d'Oxford, de Padoue, de Cambridge, de Bologne ; avec l'empreinte d'une religiosité différente, d'un milieu humain autre.

Cela alla en s'accentuant avec la création des universités américaines, filles de la révolte des anglo-protestants du XVIIe et du XVIIIe siècle en ayant comme essentiellement principe, postulat de base : l'état de droit, la langue anglaise, le christianisme puritain, l'engagement religieux, de la responsabilité des dirigeants et du droit des individus tel que le conçoit le droit anglais.

Il faut y ajouter les valeurs issues du protestantisme dissident : l'individualisme, la morale du travail et la croyance que les hommes ont la faculté et le devoir de créer un paradis sur terre avec toutes les ouvertures surtout économiques.

C'est ainsi que ces valeurs qui allaient être déversées par les universités de Harvard, Yale, Columbia et consœurs de manière générale avaient un discours issu de la révolte, du schisme avec l'Europe, à l'aide de l'établissement d'un puritanisme sous-jacent constant d'une même teneur, seulement un temps minoritaire et rejeté par le continent européen, puis prenant au fil du temps la prérogative puis la prédominance grâce aux évènements mondiaux, même dans les places les plus résistantes.

Si elles amènent, ces universités dans certains domaines des avancées, des progrès, cela dans des technologies profitables, bénéfiques, voire salvatrices, pour le genre humain, à l'humanité, certaines de leurs vagues philosophiques et sociologiques sont envahissantes et simplistes avec toujours en arrière-plan leur cher passé (passé qu'elles réfutent dans d'autres circonstances).

Elles sont toutes dans le démantèlement, la destruction de l'esprit latin, européen et donc par ricochet, elles se cantonnent, se figent dans le modèle des anciens bannis marchands exilés d'Europe, qui sont à la recherche du profit maximum.

Les mœurs, la culture des bannis d'Europe, leurs aptitudes au négoce et marchandage, au commerce et la conquête de comptoirs, sont irrémédiablement et durablement présents dans la recherche du gain, du leadership.

Des conséquences

Depuis des décennies, tous les courants, toutes les modes dites populaires (Tee-shirt, Jeans, 7e Art, séries, musiques) arrivent, ont pour origine le continent américain.

Son hégémonie, sa prédominance, son leadership sont longtemps restés incontestés dans le monde dit civilisé, facilités par l'absence de courants de pensées novatrices, élans créateurs, de découvertes scientifiques de premier plan dans le Vieux Monde.

Les USA ont apprivoisé un Foucault, un Deleuze et retournent leurs thèses contre nous…

De par ses origines, j'entends celles du peuple américain ils furent les bannis d'Europe, eux. Ce peuple emportera avec lui ses ressentiments profonds et ses cultures, surtout le puritanisme, la connaissance du marchandage, du négoce et de la conquête de territoires et de comptoirs, le tout générateur de profits et destructeur de civilisations.

Malgré leur passé issu d'une révolte, ils sont (les USA) sans avoir la conscience modelée ancrée dans une tradition ancestrale au départ reniée, mais cultivée au fil des temps et améliorée par le système qu'ils ont amené dans leur exode. Les domaines vont de la négociation opportuniste à la doctrine pure pour arriver à en faire une civilisation, pseudo-civilisation, car impossible de bâtir quelque chose sans son passé, malgré cela ils ont pu essaimer sur toute la planète, asservir et contaminer les pensées européennes et provoquer l'acceptation des théories envahissantes, profiteuses et mercantiles avec l'enseignement donné par les écoles et les universités américaines qui sous leurs égides accentueront leurs influences sur toute la sphère, le monde néo-occidental.

C'est ainsi dans cette pépinière que sont nés nos experts, qui n'ont aucune fibre novatrice mais simplement des spécialistes de l'instantané employant force de métaphores, en plus au service du profit mercantile à court terme dans tous les secteurs du droit à la sociologie, de la philosophie à l'économie de la société industrielle et du négoce.

Nous avons toute une infrastructure d'institutions, d'écoles, de cursus universitaires qui ont mis sur pied cette pépinière dans le genre « savoir couper les cheveux en quatre, mais pas au-delà du bout du nez ». Il ne sert à rien de chercher une utilité quelconque plus loin, il n'y a rien à espérer d'eux, ils nous font vivre un moment volatile avec une cristallisation systématique de la crainte, voire la peur, ils rejettent le passé ne pouvant prédire un avenir, quel qu'il soit.

À part cette foule d'experts qui devraient être à l'arrière du bus et pas à la place du conducteur selon Sir Winston Churchill, et je l'approuve nous avons été grâce à une autre pépinière, celle des savants de faire qu'en une année nous sommes arrivés à mettre sur le marché un vaccin contre cette pandémie planétaire que nous avons subie.

Ces autres facettes du dé, la science pure, la médecine, la recherche, domaines où les progrès ont été fulgurants ont profité et utilisé la communication dans une quête quasi communautaire au niveau du monde occidental.

C'est dans le domaine médical que nous avançons, progressons et utilisons tous les domaines de la science et de la technologie.

La différence si même il y a recherche de profits dans la médecine et les secteurs annexes le but est unique et commun est : la guérison des malades. Cela intéressera aussi bien l'engineering médical, l'industrie pharmaceutique que toutes les branches de la médecine moderne, cela comprendra aussi bien la cardiologie que l'oncologie ou l'épidémiologie, sans omettre toutes les autres spécialités. Le profit dans cette branche est synonyme de guérison et devient du bien-être.

Peut-être à la place d'utiliser les algorithmes pour les spéculations en tout genre, financier, prospectif, mercantile et consumériste, à la place d'être l'outil favori des traders (ex-agents de change, agents boursicoteurs et spéculateurs), l'on pourrait les optimiser dans la recherche de solutions industrielles et écologiques, d'ailleurs ils sont destructeurs en même temps. Pour les traders, profession en perte de vitesse car l'I.A. avec l'apport des algorithmes prend leurs places…

Comment globaliser et maximiser les avancées technologiques en ne cherchant point le profit maximum, mais l'équilibre entre l'humain et son milieu ?

Ne pas mettre en avant des solutions hypocrites comme la voiture électrique, en regardant droit dans un miroir nous voyons que cette solution nous cache comment se déroule la recherche et la quête des métaux et minerais rares nécessaires à l'élaboration des batteries.

Comment nous arriverions à alimenter toutes ces voitures dont le carburant est la fée électricité dont la production provient de source très différente et pas écologique, et le réservoir les batteries dont le recyclage est véritable un casse-tête…

Mais l'on pourra dire : « Voyez-moi, je suis propre ! » ; sans regarder plus loin que le bout de son nez. Des solutions sont possibles à condition que les institutions du capitalisme de surveillance et le capitalisme néo-libéral veuillent bien en faire un objectif majeur, des options salvatrices sont réalisables sous certaines conditions, et rechercher les profits autre part.

Imaginez l'Afrique, la Mongolie, l'Australie câblées alors qu'actuellement l'électricité, le réseau y sont plus ou moins absents, de même Amazon, Microsoft ou Facebook y seront à la peine dans nombre de régions et avec une difficulté à fidéliser des consommateurs au Bangladesh, en Ouzbékistan où l'information est réservée soit à une élite capitaliste soit à une élite dictatoriale, la corvéabilité de la main-d'œuvre étant la cible, le but par une disponibilité sans réserve. Il y a nombre de pays asservis au néo-libéralisme où la position de l'industrie n'est pas stable, elle est sujette au coût de la main-d'œuvre et les sociétés menées par la finance iront à la solution la moins onéreuse, ils déplaceront, déménageront, délocaliseront sans scrupule en fonction du profit.

Notre civilisation est dans un processus voulu de vulgarisation et banalisation de la communication, de l'abandon du présentiel, de son remplacement par le virtuel et le digital, de se débarrasser du contact physique, cela débute déjà dans le système éducationnel et se perpétue dans le déroulement de la vie quotidienne et civile, dans la vie professionnelle et oh comble de surcroît même dans les loisirs. Cependant l'individu lambda accepte et suit sans broncher la ligne tracée, dictée par les institutions, elles-mêmes instrumentalisées.

Aussi il devient difficile pour l'être humain normal, l'individu moyen d'avoir une pensée propre ; selon la philosophe Hannah Arendt :

« Réfléchir, cela signifie de toujours penser de manière critique. Et penser de manière critique cela signifie que chaque pensée sape ce qu'il y a au fait des règles rigides, et des convictions générales.

Tout ce qui se passe lorsqu'on pense est soumis à un examen critique. C'est-à-dire qu'il n'existe pas de pensées dangereuses, pour la simple raison que le fait de penser est en lui-même une entreprise très dangereuse… Mais ne pas penser est encore plus dangereux. »

Ces réflexions, elles sont au goût du jour, elles sont mises en évidence dans toute l'œuvre d'Albert Camus, jamais il ne s'est laissé déborder, ses pensées lui permirent d'avancer dans les situations par lesquelles il a passé, le passé algérien, la guerre, la maladie, le communisme ; ses ouvrages ont toujours sorti l'homme, par ce qu'il appelle la « Pensée de Midi », une pensée de révolte qui fut à la genèse d'ouvrage tel : « L'homme révolté » ou « Le Mythe de Sisyphe ».

Albert Camus entraîna dans ce mouvement le poète René Char et en plus nous retrouvons des pensées similaires chez cet immense personnage qui est Friedrich Nietzsche, qui lui-même les résumait dans son ouvrage le « Gai Savoir ».

Grâce aux écrits de Nietzsche il est possible de trouver une issue face aux oppressions actuelles, oppressions, pourquoi : parce que sur n'importe quel support classique ou moderne l'on essaie de vous enrôler, de vous embrigader dans la meute des non-pensants avec lesquels vous accepter et assimiler la soupe disponible.

Internet, les écrans, les papiers, ils sont tous mis à contribution, utilisés et cloisonnés par des courants alternatifs à la mode et leurs flots de non-pensées ne tiennent aucunement compte de la réalité et des fondements des civilisations avec leurs différences et leurs particularités, leurs beautés, qui rejettent l'histoire dont ils sont issus.

Nous pouvons en profiter pour revenir sur le discours de Claude Lévi-Strauss à l'UNESCO en 1971.

Je vous en cite quelques extraits :

« La richesse d'une culture, ou du déroulement d'une de ses phases, n'existe pas à titre de propriété intrinsèque : elle est fonction de la situation où se trouve l'observateur par rapport à elle, du nombre et de la diversité des intérêts qu'il y investit…

C'est une image : on pourrait dire que les cultures ressemblent à, là, des traits qui circulent plus ou moins vite, chacun sur une voie propre dans une direction différente. Ceux qui roulent de conserve avec le nôtre nous sont présents de la façon la plus durable, nous pouvons à loisir observer le type de wagons, la physionomie et la mimique des voyageurs à travers les vitres de nos compartiments respectifs. Mais que, sur une autre voie oblique ou parallèle, un train passe dans l'autre sens, et nous n'en percevons qu'une image confuse et vite disparue à peine identifiable pour ce qu'elle est réduite le plus souvent à un brouillage momentané de notre champ visuel qui ne nous livre aucune information sur l'évènement lui-même et nous invite seulement parce qu'il interrompt la contemplation placide du paysage servant de toile de fond à notre rêverie. »

Voilà qui résume la confusion qui règne aujourd'hui dans les courants de pensées modernes.

Il est donc essentiel de garder l'esprit critique avant toute chose et de peser l'avancée technique bénéfique et les fausses avancées, c'est-à-dire celles qui nous emprisonnent dans un système, une manière de penser banale et trop systématique ; loin de la vérité telle qu'elle devrait être montrée et présentée. Il est donc nécessaire de reconnaître que seuls quelques individus arrivent à sortir du lot, malgré les resserrements occasionnés par les médias en place dans tous les domaines : radios, télévisions, journaux et magazines.

En tant que fidèle adepte et disciple convaincu de ceux-ci, mon soutien va aussi bien à leurs écrits et débats sur la scène publique, ils évoquent dans notre passé récent des faits que je ne peux m'empêcher de vous relater et vous constaterez que leurs propos sont d'actualité brûlante.

Dans mes lectures… j'ai retrouvé une correspondance entre John Steinbeck (réalisateur des « Raisins de la Colère ») et M. John

Kenneth Galbraith (économiste reconnu et conseiller présidentiel dont je vous ai déjà parlé).

Cette épître, lettre date des années 60, exactement 1961.

Elle est criante de vérité, et je me trouve dans une position, une impossibilité de ne pas vous en faire part et être obligé de vous en livrer la teneur et les extraits qui correspondent hélas bien à notre environnement actuel, notre monde contemporain, ils ne sont pas déplacés, juste d'une vérité criante, un éditorialiste actuel pourrait les utiliser, voire carrément reprendre les propos tels quels aujourd'hui.

Cher Ken,

Je vous prie d'excuser l'aspect de cette lettre ou plutôt son matériau. J'ai si longtemps écrit au crayon sur des blocs de papier jaune que tout autre moyen de m'exprimer me fait l'effet d'une traduction...

Tout d'abord nous voulions vous remercier pour les billets et la promenade en voiture, et aussi, pour les paroles réconfortantes dans un monde grisâtre.

Je voudrais bien que dans cette époque tourbillonnante nous ayons plus souvent l'occasion de parler car sans paroles, pas de pensées et dans pensées, le monde resterait tel que nous l'avons trouvé. C.Q.F.D.

Il y a quelques erreurs fondamentales qui sont à redresser. À presque chaque phase de notre pénible évolution, nous nous trompons.

Nous pensons que le primitif est simple. Il ne l'est pas. Son monde est beaucoup plus compliqué qu'il ne parait à un esprit civilisé cherchant à le comprendre. Ensuite, nous pensons que le monde actuel est beaucoup plus inquiet qu'il ne le fût jamais dans le passé. Un regard sur les coutumes, les usages, la politique, l'économie, la religion, les mœurs devraient nous convaincre qu'il n'en est rien.

Je pense que la plupart de nos erreurs viennent de ce que nous n'examinions pas les choses d'assez près…

… Le plus étrange est que les gens apprennent vite à aimer leurs chaînes et ne tardent pas à les prendre pour des ailes. Je crois savoir pourquoi. C'est une chose solitaire que la liberté, l'indépendance, quel que soit le nom que vous donnez à cet état qui vous permet et vous ordonne d'édicter vos propres règles.

C'est une chose antihumaine et qui vous maintient dans le souci. C'est tout ce que je voulais dire.

John

Cet échange épistolaire entre un metteur en scène et réalisateur cinématographique et un économiste et professeur d'université de premier plan, conseiller de J. F. Kennedy parmi d'autres, il venait d'être nommé ambassadeur en Inde et se retrouvait en plein dans l'actualité contemporaine de l'époque ; et pourtant les réflexions de John Steinbeck et les réponses de John Kenneth Galbraith : « La grande mésaventure militaire de l'histoire américaine jusqu'à l'Irak a été la guerre du Vietnam. Dans ce pays où j'ai été envoyé en mission d'enquête au début des années soixante, j'ai pu prendre toute la mesure de la domination du militaire sur la politique étrangère, domination qui va aujourd'hui jusqu'au remplacement pur et simple de l'autorité civile présumée.

En Inde, où j'étais ambassadeur, à Washington, où j'étais en contact avec le président Kennedy, et à Saigon, j'ai acquis une vision fortement négative du conflit…

Il était professionnellement que l'armée et les industries d'armement acceptent et soutiennent les hostilités.

Cela allait de soi pour tout le monde. La distinction factice entre privé et public. L'intérêt des firmes, évident ici, par, des contrats fabuleux. Le complexe militaro-industriel d'Eisenhower à pied d'œuvre.

Nous ne souhaitons pas vivre avec la réalité, mais elle existe. Autant la reconnaître. »

Tout cela correspond malgré son antériorité, dans sa totalité à notre monde et au comportement présent.

Nous pataugeons avec notre intelligence dite civilisée et moderne, nous sommes en pleine confusion.

La connaissance, la science ont des vitesses d'assimilation, de compréhension différentes, l'une avance pas à pas (la vitesse de la tortue), l'autre avance à pas de géant (le sprint du guépard) : ce sont des occasions de distorsions, à tel point que nous nous égarons et perdons les marques et repères, les points d'appui.

Il est indéniable, nous souffrons sournoisement de nihilisme.

Mais dans ce climat délétère, c'est le moment, la recherche de la manière admirable de ressortir des prêches sur le retour, retour à la mentalité primitive, retour à la terre d'antan, retour à la religion, retour à l'arsenal des vieilles solutions sans aucunement tenir compte des erreurs du passé et des avancées de la société et de la science.

Pour donner une quelconque crédibilité à ces onguents du passé, une once, une ombre de vraisemblance il faudra faire comme si notre savoir, notre connaissance n'existaient plus, comme si n'avions aucune éducation civile, sociale, historique, aucune culture profonde, aucune connaissance ; que nous soyons des cancres parfaits, effacer ou simuler l'effacement de nos mœurs, us et coutumes, héritages qui sont inscrits dans notre patrimoine et ineffaçable.

Il nous est demandé de supprimer d'un seul coup de crayon, de rayer l'apport de plusieurs siècles et de tout ce qui pendant ce laps de temps a été acquis par l'esprit ; ceci afin de recréer, en définitive, un chaos pour notre propre compte. C'est quasiment impossible. Pour remédier à cela, il faudrait s'armer d'une lucidité, d'une clairvoyance, de connaissances, il serait nécessaire de tenir compte des étincelles, des lueurs, des éclaircissements survenus dans notre passé et dans notre présent, des faits arrivés durant notre temps d'errance et d'exil dans le monde digital.

L'intelligence, elle n'est pas en désarroi, en confusion suite à l'avancée de nos connaissances et perdure malgré que celles-ci peuvent bouleverser notre monde actuel via des inéquations présentes. Notre capacité, au niveau de l'intelligence pure, elle est dépassée parce ce qu'elle n'évolue pas, non seulement dans l'éducation, mais aussi n'avance pas à la même vitesse, l'évolution technologique est beaucoup plus rapide que notre capacité d'apprendre et d'assimiler.

Il nous est difficile de nous faire à cette idée de désynchronisation, si nous nous y adaptions : la confusion et le désarroi disparaîtraient. Il ne resterait que l'essor, le bouleversement occasionné et une connaissance optimisée, nette et claire que l'esprit prendrait en compte et accepterait.

C'est toute une civilisation à reconstituer, rebâtir, refaire.

Là encore, je suis en accord avec quelques grands hommes, hélas du passé, car introuvables de nos jours. Ils font partie de mes familiers, de mon quarteron de penseurs et ils sont : de Gaulle – Albert Camus – Winston Churchill – André Malraux et Friedrich Nietzsche.

Nous avons tendance à les oublier, nous les mettons à l'écart et n'en gardons que ce qui nous arrange alors que leurs discours étaient beaucoup plus virulents à l'encontre du temps futur, c'est à dire notre époque. Si bien que des statues ou monuments qui furent dédiés sur la voie publique à de Gaulle et Churchill ont été vandalisés…

La tendance actuelle est très complexe, compliquée ; nous avions des années durant deux blocs, deux mondes et leurs satellites : l'est et l'ouest. Nous étions persuadés que la chute de l'impérialisme soviétique allait amener un air de liberté, de démocratie planétaire, de libéralisme mondial avec une ouverture à tous les principes de la démocratie ; mais avec l'échec du mondialisme néo-libéral de nouveaux antagonismes avec leurs acteurs a vu le jour qu'ils soient économiques ou sociologiques.

De nouvelles écoles ont émergé aux USA, elles ont essaimé avec leurs pensées négationnistes, destructrices dont l'ossature est constituée par la résurgence du puritanisme conservateur et passéiste, soi-disant progressiste que l'on peut qualifier d'idéologie illibérale, elle est mise en œuvre par une minorité apparue récemment d'influenceurs et d'agitateurs culturels américains et sont parvenus avec cette nostalgie destructrice jusqu'à faire leur apparition à la chambre des représentants, l'équivalent de notre assemblée nationale, notre chambre des députés en France.

Pour expliquer cette idéologie récente qui, disons le net, lit le monde à l'envers, si vous admettez que le monde est une pyramide élaborée au fil des temps, hier et aujourd'hui ; que de la conception à la construction il est évident de commencer par la base, comme le conçoit l'intelligence, et normalement devrait être ainsi également dans le futur ; les militants de ces nouveaux mouvements modernistes type woke ou encore cancel culture ; eux veulent inverser les bases, les fondations en bâtissant en commençant par le toit de la maison ! Tout cela avec un antihumanisme, un antilibéralisme les deux poussés aux extrêmes. Pour eux, il va donc de soi qu'un Brad Pitt soit honni, un opéra comme Carmen, un compositeur comme Schubert sont à mettre aux oubliettes.

Nous sommes dans un monde où la communication par et grâce aux nouveaux moyens technologiques : numériques et digitaux, modernes ont pris le dessus sur toute autre forme de supports. L'individu lambda s'est laissé emporter par cette déferlante, vague médiatique prédite par « De Gaulle » en 1941 et réitérée par le sénateur Erwin en 1974 et nous ne pouvons que constater aujourd'hui que leurs dires ne visaient qu'à défendre les idées de la liberté et de la dignité humaine, ils précisaient et je cite à cette occasion le sénateur Erwin :

« Lorsque les pères fondateurs élaborent notre système constitutionnel de gouvernement, ils lui donnèrent base leur croyance fondamentale dans la nature sacrée des individus… Ils avaient compris que l'autodétermination est la source de l'individualité, et que l'individualité est le pilier de la liberté… récemment cependant, le secteur technologique a développé de nouvelles méthodes de contrôle comportemental qui peuvent changer non seulement les actions d'un individu donné, mais sa personnalité même et sa manière de penser…

La technologie comportementale qui est développée à l'heure actuelle aux USA affecte les sources les plus primaires de l'individualité, le cœur même de la liberté personnelle… La menace la plus sérieuse… est constituée par le pouvoir que cette technologie accorde à un individu d'imposer ses vues et ses valeurs à autrui…

Les concepts de liberté, de vie privée, de libre arbitre, d'autodétermination s'opposent de manière inhérente aux programmes destinés à contrôler les libertés non seulement matérielles mais également les sources de la pensée libre… La question devient encore plus brûlante lorsque ces programmes sont menés, comme c'est le cas aujourd'hui en l'absence de contrôles rigoureux.

Aussi inquiétante que la modification des comportements puisse être au niveau théorique, la croissance sauvage des techniques pratiques de contrôle de comportements l'est encore davantage. » (dixit Sam Erwin)

Nous sommes dans ce que nous pouvions appeler un cycle irrémédiablement allant dans le sens du livre de G. Orwell, tous les paramètres sont présents. Nous aujourd'hui en France, nous nous croyons protégés, mais nous sommes dans la même turbulence, le même bain, même soupe, la mondialisation et Internet ont contribué à cet écrasement de la protection individuelle partout sur notre espace occidental.

Prenons quelques exemples. Commençons par Facebook avec la réunion d'amis, amis que vous ne rencontrerez jamais, sauf qu'en période estivale ils vont vous abreuver, submerger, noyer de photos, de vidéos, de vues sur la piscine, sur la mer, de bains de mer, de sable blanc dans la journée et le soir vous arrêterez pas de souper, avec tous les plats que l'on vous envoie comme si vous étiez assis à la table en voyeur, de quoi vous donner des envies de dîner également mais seul.

Continuons avec Amazon, jouez à vous intéresser à quelque chose qui ne vous branche aucunement, en répétant cela juste une paire de fois, du bricolage par exemple alors que vous n'avez jamais planté un clou ! Vous verrez le matraquage que vous allez subir.

Soyons plus réalistes et revenons à nos jours, à la situation de la pandémie qui sévit, la situation est très critique avec les confrontations sur les réseaux sociaux, il y a des propos, des manifestations d'humeur, de pensées qui vont jusqu'à l'irresponsabilité de la part des anti-vaccins qui osent parler de dictature, d'abandon de la liberté, de complot, c'est la démonstration flagrante qu'ils n'ont plus aucun sens des valeurs, qu'ils ne savent plus, pas de ce qu'ils parlent, ce sont des minoritaires qui mettent en péril une population tout entière.

C'est également une atteinte à la liberté. Employer le mot dictature, c'est vraiment en avoir oublié le sens premier de ce mot. Avoir oublié la réalité de celui-ci lors des temps passés, ou être un ignorant de la chose en ne connaissant pas les faits de l'histoire. Perdre la valeur des mots et intrinsèquement par une simple déclinaison toutes les valeurs humaines, voilà c'est cela la triste réalité de notre monde actuel.

La plupart des individus parlent et agissent avec un égoïsme, une ignorance du temps passé, une omission volontaire de ce que l'humanité à passer comme épreuves, en suivant de manière complaisante des minorités au profil anarchique, eugénique et passéiste qui jetèrent le trouble dans le raisonnement déjà faible de la masse hier et aujourd'hui avec les bénéficiaires des réseaux sociaux.

Ces réseaux sociaux qui font partie intégrante des loisirs, car lorsque vous êtes « in », dans le coup dans le courant, dans la tendance vous partagez bien votre choucroute ou barbecue de crustacés sur une plage quelconque, au bord d'une mer naturellement bleue, si possible des Caraïbes ou des Seychelles, évidemment il n'y a plus, pas de limite, c'est des photos, des selfies, des vidéos, une course à la surenchère d'une soi-disant beauté ou d'un moment d'émotions, c'est à quoi nous réduisent les nouveaux loisirs, rien à voir avec une éducation, une culture quelle qu'elle fût. La vie de l'esprit a disparu, la vie de l'œuvre est inexistante, la vie du travail ignorée, car non valorisante. Toutes ces vies sont devenues des contraintes ayant pour unique but d'aboutir à un des nombreux loisirs offerts par les possibilités du monde économique moderne ; ces loisirs nous allons les chercher partout ; même dans la désertification de l'industrie que l'on érige en musée !

Nous sommes devenus essentiellement des prestataires de services en France, Tourisme compris. L'industrie a été expatriée, externalisée, abandonnée pour des raisons bassement stratégiques, en favorisant les sources de profits générés par les délocalisations, avec en deuxième ressort : « ne pas se salir les mains. »

Prenons un exemple, pas au hasard…

Nous avions les usines nécessaires à la préparation des fibres textiles, du coton à la laine, de la soie au lin. Non seulement nous savions faire, mais nous en étions les leaders. Nous avions les filatures, les tissages, les teintureries, mais nous produisions aussi les machines concernées, toute la filière était sous contrôle, pire encore dans le secteur du lin, nous maîtrisions aussi la production de la fibre. Non seulement nous savions produire des tissus, mais aussi des étireuses, des peigneuses, des cardeuses, des ourdissoirs, des métiers à tisser, des machines, chaînes à teindre, des engins de finissage et d'apprêt... Sans oublier la confection, tout cela était présent dans notre vieille France, Europe, maintenant tout est en Asie et revient par containers maritimes, ferroviaires ou même voie aérienne. Vive l'éco (logie) mie...

Faites le compte des emplois perdus, de la pollution occasionnée (exemples : teintureries non contrôlées, logistiques du bout du monde et j'en passe...) et la liste n'est pas complète hélas, elle est très longue mais profitable, tout cela pour l'appât du gain, orchestré à l'aide d'une logistique et une distribution très bien organisées.

Je ne vais pas m'étendre longuement sur ce sujet, la perte de l'individualité est dans tous les secteurs, même le secteur automobile pourtant très sensible à l'ego des chauffeurs. C'est un domaine pourtant complexe ; mais vous pourrez trouver un moteur Peugeot dans une Mercedes, des pièces de Saab dans une Lancia, des moteurs Renault chez BMW, la liste est longue et votre belle allemande pourrait venir d'Espagne ou des USA et votre Renault du Maroc ou autre Slovénie. Dans cette production de masse, tout est optimisé à l'extrême.

Nous sommes toujours dans la même démarche, une banalisation, une vulgarisation, une perte d'identité, aussi bien celle de l'individu que du produit ; l'oiseau rare est difficile à dénicher et surtout beaucoup plus coûteux, c'est ce que l'on nomme le haut de gamme qui sauve cette recherche : l'industrie du luxe, mais avec les politiques d'expansion elle est elle-même pas à l'abri d'une perte de ses valeurs.

En mettant à profit la faible faculté de raisonnement des esprits occidentaux subissant de plein fouet les directives de l'économie de marché et du capitalisme de surveillance, le consommateur sujet au moindre effort trouve encore une sorte de libéralisation fictive dans l'économie des loisirs.

Les loisirs, nous allons les chercher partout où l'on peut, dans l'espace, dans le temps, la désertification due à la chute de l'industrie, la chute du commerce traditionnel, nous sommes en France avec les loisirs et le tourisme à plus de 10 % du P.I.B.

Notre voisine l'Allemagne elle se trouve en tourisme à 9 % et une part dans l'industrie à 25 % contre 11 % pour la métropole, nous avons été sacrifiés sur l'autel de la délocalisation, notre industrie a été démantelée afin de ne pas se salir les mains.

Nous vivons en pleine aberration, j'évoquais quelques lignes plus haut de l'industrie linière ; voyons cela avec un peu de détails. La production française de fibres de lin est la plus importante au monde, elle dépasse la Chine et la Russie avec 80 % des récoltes… Nous avions la main mise sur toute la filière, aujourd'hui la fibre est exportée vers l'Asie, les traitements, les machines, l'industrie tout entière y compris la confection se passent en Orient. Tout y est organisé depuis la filature, la teinture et le tissage pour être mis à la consommation dans les pays occidentaux, l'Europe et l'Amérique. C'est non seulement un péché économique, mais aussi un péché écologique si l'on inclut toute la logistique nécessaire : maritime, aérienne, routière ; sans compter le non-respect de la filière écologique industrielle telle qu'elle nous fut imposée en Europe, l'eau utilisée dans l'industrie textile (teinturerie, apprêts) des rivières accueillait les salmonidés, tellement celle-ci était pure, sans compter la destruction des emplois autochtones, directs et indirects.

La pandémie récente nous a fait découvrir notre dépendance dans la filière pharmaceutique par exemple, je n'aborde même pas l'industrie des semi-conducteurs, le bilan reste toujours déficitaire, nous sommes les jouets de ce monde nouveau que nous avons créé de toutes pièces au fil des années.

Je me permets de citer un ami proche dirigeant d'une société leader dans le secteur textile du pantalon (quelques centaines de millions d'euros de chiffres d'affaires) ; voilà ces propos : « Hier, nous avons commencé à produire en Allemagne de l'Est, puis en Tchécoslovaquie, puis plus loin en Europe de l'Est pour arriver au Moyen-Orient, mais cela ne suffisait pas nous sommes arrivés en Asie avec des obligations logistiques, immobilières lourdes, aujourd'hui avec le développement de la technologie nous serions moins chers en coût total qu'avec notre circuit asiatique, mais nous ne savons plus faire… »

Maintenant, l'idée nouvelle est : « Nous allons essayer de relocaliser. »

Hier, l'Europe avait ses singularités, la France en était l'exemple avec ses spécificités, ses particularismes, ses habitants aux origines diverses aussi bien au nord qu'au sud, ou à l'ouest et l'est, un échantillonnage à nul autre pareil. Notre identité était cependant unique et enviée.

Jamais dans le passé nous avions plié sous le joug des états ennemis ou des nations amies. Nous étions fiers et uniques.

Non seulement nous revendiquions d'être Français mais nous l'affichions haut et fort, fiers de l'être. Il faut ajouter à cela la tendance chez les individus étrangers le désir de le devenir : français à part entière, mais c'était hier.

Naturellement, il est très facile de critiquer l'histoire, si nous procédions à une analyse à la Nietzsche, le bilan serait aussi déficitaire. Même si nous pouvons présenter des résultats obtenus de façon indirecte, via les mouvements, réseaux dits sociaux, quels droits avons-nous car nous ne sommes peut-être que les conséquences ? Autrement dit, nous scions la branche sur laquelle nous sommes assis. Rien de plus facile en effet que de critiquer, sans cesse, sauf que l'histoire est notre fondation civilisationnelle. Alors il est important, voire essentiel pour nous les Français de noter que nous avons pu grâce au Général de Gaulle sauvegarder notre système démocratique républicain alors que Franklin Roosevelt et par la suite Truman voulaient mettre en place un Franc-Dollar dépendant du dollar américain et de tout le système concerné.

C'est grâce à l'homme de l'appel du 18 juin que nous avons échappé à la vassalisation américaine, le projet américain ne vit jamais le jour, quoique déjà prêt.

Nous vivons dans le temps présent. Or celui-ci s'est construit hier à force de recherches, conflits, découvertes, ententes et réconciliations. Si de nos jours nous sommes parvenus à être parmi les leaders de l'industrie aéronautique avec le programme Airbus, celui-ci est issu d'initiatives au départ de la volonté de création du projet Concorde et de toutes les études y étant conditionnées, dans une logique identique il y eut les T.G.V. et le réseau autoroutier…

Toujours de Gaulle par sa vision de la grandeur de la France, pas par des visées électoralistes, pour la Nation et les Français a mis en place le Plan Calcul (Bull concurrent d'IBM, Apple l'a remplacé à ces jours), il fut lâché par ses successeurs.

Il en fut de même avec en son temps la sortie de l'OTAN et le programme nucléaire, la force de dissuasion, certaines options nous suivent encore et nous en profitons, d'autres ont été abandonnés ou resservis sous de formes moindres telles les réformes de la participation ou de la régionalisation, avec des formules en demi-teintes.

Malgré ses visions, il fut désavoué, il en alla de même pour Sir Winston Churchill et aujourd'hui nous osons à peine nous revendiquer d'eux sur des points essentiels et avoir l'audace de ternir leur mémoire et image en dégradant leurs statues.

L'essor technologique avec ses moyens modernes de communication, venant au secours des individus, les jette dans une monopolisation de « l'Ego » à tous les niveaux de la pyramide sociale et tous les étages sans en omettre un seul.

Il suffit pour cela de bien observer le comportement de chaque classe de la société et des individus en privé.

Si ce comportement au milieu du siècle dernier était encore larvaire, l'éclosion a eu lieu à la fin du siècle dernier, avec l'explosion des technologies nouvelles et la métamorphose de la civilisation d'économie de marché à celle de société néo-libérale et sujette au capitalisme de surveillance.

La photographie, l'instantané…

J'ai évoqué ce capitalisme de surveillance dans nombre de lignes de cet ouvrage, aussi je vous dois une explication. Pour cela je me réfère à l'ouvrage de Madame Shoshana Zuboff, professeur à Harvard.

À vous expliquer sommairement ; que font ces capitalistes d'un nouveau genre, ils monnayent leur capital de connaissances, leurs carnets d'adresses celui des gens dans le privé, celui des sociétés, de populations, ils trouvent moyen d'avoir accès à un maximum de données sur le mental, le spirituel, le matériel, l'envie et le vouloir de tous les abonnés à l'un de leurs réseaux, les sociétés capitalistes, elles achètent tous les types d'informations leur permettant d'accroître leurs profits. Ils utilisent à cette fin tous les supports disponibles et la technologie les gâte, ils sont nombreux depuis le smartphone à la tablette, en passant par le portable et la console sans omettre les moyens classiques que sont les journaux et les médias (radio et télévision).

Ils utilisent ces moyens nouveaux ou remis au goût du jour en passant, utilisant toutes les filières, par toutes les institutions, y compris la finance, ils conditionnent la forme physique par les sports de loisirs ; l'hôtellerie, les agences de voyages avec le tourisme ; la santé et l'éducation par les instituts offrant les services y afférents pour la santé aussi bien morale que physique. Les citoyens américains ne sont pas à l'abri de ce que l'on peut qualifier d'agression.

Toutes les branches de l'économie, de la politique, veulent placer leurs produits, leurs services, leurs opinions, optimiser leurs profits, leurs parts de marchés, leur électorat, elles sont ainsi toutes intéressées par les offres du capitalisme de surveillance.

Ainsi les sociétés américaines ont acheté, collecté les profils, tous les profils disponibles, au-delà de l'imaginable, pour accroître la potentialité des futurs consommateurs.

C'est devenu un véritable marché, une course à qui saura le plus ; les fichiers sont en permanence remis à jour. Le consommateur lambda fait partie intégrante des données de ces fichiers détenus par ces instances.

Ayant pris connaissance de tout cela, je me suis de m'amuser pour voir si nous Français étions aussi exposés que nos compatriotes américains, nous sommes en principe protégés par le C.N.I.L., donc à l'abri de ces fichiers. Je fus sûr de mon affaire, persuadé que nous étions à l'abri de ces ingérences dans notre vie privée et publique. Donc je me mis à voyager sur les GAFAM dont je disposais, n'étant pas sur Facebook et confrères.

J'ai commencé avec Google en y recherchant le programme TV, à ma grande surprise que cela soit sur ma tablette, mon smartphone les programmes sont apparus avec des publicités répétitives, itératives, envahissantes au fil des jours de Bricomarché, Toyota, Mac Donald, Gillette, Gallimard, Kayak et j'en oublie, l'énumération serait trop longue. Pour avoir un jour, un moment consulté, j'étais fiché...

Par contre comme de nombreux services publics vous obligent, imposent maintenant d'utiliser les services en ligne (numériques.), notre identité dite confidentielle fond comme neige au soleil, comme les glaces de l'Antarctique.

J'avais cependant détecté une lacune : aucune marque de sport ; ni Nike, ni Adidas ne m'avait repéré, c'est vrai je suis plutôt « No Sport » comme le fut Churchill, mais il m'a suffi d'aller fureter, chercher un objet anodin, une paire de chaussures, et voilà, le mal était réparé, j'étais fiché un quart d'heure plus tard et reçu des publicités sportives et de sites ayant des chaussures et par déclinaison tous les autres produits de la mode dite sportive…

Ouf, l'honneur du capital de surveillance était sauf, il avait démontré son efficacité.

Il en va ainsi de même quant à la manipulation des populations, le guidage, le téléguidage de tous les appareils ; de la plus petite cellule à l'institution la plus grande possible, ces manœuvres sont faites dans toutes les activités (Les programmes Netflix, You Tube, Prime-vidéo, etc.)

Depuis l'organisation du travail jusqu'à celui des loisirs, que cela soit individuel ou collectif les objectifs arrivent à être atteints. La fabrication via une réactivité sans limites est devenue la manière d'assouvir nos faux besoins suggérés. Ils sont devenus des buts suprêmes, il faut générer et optimiser le profit, il faut créer pour fabriquer et faire consommer.

L'on répond toujours aux mêmes questions :

– Quoi ;
– Combien ;
– Comment ;
– Où ;
– Pour qui.

L'homme actif s'est métamorphosé en homme de fabrication, puis il a muté en homme marchand qui lui utilisera toutes les ressources disponibles ou à rendre effectives dans l'espace mercantile, il n'y a pas de frontières, la biologie, la chimie, la physique, la mécanique, la botanique, la zoologie, sans compter l'agriculture, les services, toutes ces branches sont mises à contribution y compris les sciences nouvelles, la meilleure part de marché au meilleur profit est toujours l'objectif à atteindre.

Je reviens sur le terme créativité et me permets d'attirer votre attention sur la grande différence entre créativité et création.

La création, elle sort du néant, l'on crée à partir de rien, d'une pensée, d'une idée, la créativité est une actualisation, voire une réactualisation d'une chose existante similaire ou analogue, c'est une mise à jour comme la mise à l'électricité des voitures automobiles, la modernisation des aéroplanes, ce n'est pas l'invention de la roue ou de l'avion.

Nous connaissons beaucoup de créativité mais peu de création. L'on s'agite beaucoup autour de la créativité qui n'est qu'une mise à jour d'une chose existante.

C'est là une des préoccupations exclusives de notre monde actuel et moderne ; comment va-t-on arriver à motiver et diffuser des produits à moindre coût et marge importante qui offrent, présentent un aspect nouveau, un attrait de nouveautés. Nous sommes entrés dans une ère où la communication nous entraîne dans un environnement à marche forcée grâce aux technologies mises en place par les sciences pour faire vivre un homme artificiel dénué de passion, culture et pensée, banalement identique du Nord au Sud et de l'Est à l'Ouest.

Nous sommes au fil du temps passés de l'économie de production à l'économie de marché, de l'économie des besoins à l'économie néo-libérale, de la régionalisation au mondialisme pour aboutir avec une vassalisation poussée à l'économie capitaliste de surveillance.

D'une autre part la communication est actuellement, pour cette nouvelle économie la conjugaison des deux capitalismes en cours, le néo-libéralisme et la surveillance, elle cette dernière est devenue une pièce maîtresse, une arme essentielle et vitale. Cet instrument qui est la communication est pour l'économie néo-libérale un outil de placements de produits, pour le capitalisme de surveillance elle offre un arsenal pour la collecte des toutes les informations possibles et imaginables afin de permettre à la première le placement des produits et sécuriser les marchés avec l'acceptation, presque la soumission des clients potentiels.

D'autre part l'humanité est exposée à un double péril dont l'ethnologue et le biologiste mesurent pareillement la menace. Ils sont persuadés, convaincus que l'évolution culturelle et l'évolution organique sont solidaires, il faut être attentif à l'évolution des deux branches elles sont solidaires et interdépendantes. Ils savent que le retour au passé est impossible, déjà démocratiquement parlé.

Mais aussi, ils n'ignorent pas que la voie dans laquelle les hommes se sont engagés présentement accumule les tensions telles que les haines raciales, qui elles offrent une bien piètre, pauvre image d'un régime d'intolérance exacerbée qui risque non seulement de s'intensifier mais aussi saper les fondements de notre civilisation occidentale post-industrielle. Nous sommes en présence et les prétextes sont très nombreux, sans avoir à mettre en avant de différences ethniques aujourd'hui fauteurs de troubles, d'éléments perturbateurs, mais hier anodins.

Or, nous ne pouvons pas nous dissimuler, malgré, en dépit, de son urgente nécessité pratique et des fins morales élevées qu'elle s'assigne, elle doit, là lutter contre toutes les formes de discriminations, participer à ce même mouvement qui entraîne l'humanité vers une civilisation mondiale, et en plus destructrice de tous les particularismes auxquels il revient l'honneur d'avoir créé les valeurs esthétiques et spirituelles qui donnent à la vie son prix, que nous recueillons précieusement dans les musées et dans les bibliothèques, parce que nous nous sentons de moins en moins certains d'être capables d'en produire d'aussi évidentes et créatives versions.

Ils ne se distinguent pas du reste de la population, pas par la race mais par le genre de vie, la moralité de tendance puritaine socialo-négationniste, la coiffure, le style de vêtements, le renoncement aux codes établis qui ont comme origine le respect de l'autre.

Il faut y ajouter les sentiments de répulsion d'hostilité. Ces ressentis qu'ils inspirent au plus grand nombre en utilisant la culpabilité et l'irresponsabilité, il n'y a pas meilleur alibi, sont dans la même catégorie et substantiellement différents des haines raciales, mais font accomplir aux gens de soi-disant progrès malgré des préjugés spécieux dans leurs raisonnements sur lesquels repose au sens strict du terme toute leur politique. Nous devrions être dans la capacité intellectuelle de nous poser la question si la culture est fonction de la race ? En étant objectifs, nous découvrons que la race est en réalité généralement une fonction parmi d'autres de la culture. La culture est le moteur nécessaire, indispensable d'une civilisation, et plusieurs ethnies peuvent en faire partie, y adhérer.

Il est important de ne pas se méprendre et de rester confiant, sur du mot culture et de ses racines. En philosophie le mot culture désigne ce qui est différent de la nature ; en sociologie comme en éthologie (étude du comportement humain et animal en milieu naturel et expérimental), la culture se définit de façon plus étroite comme le résultat de ce qui est commun à un groupe d'individus.

En changeant de latitude, allons faire un petit détour dans notre passé commun : les grandes époques furent celles où la communication était devenue suffisante pour que des partenaires éloignés se stimulent, puissent échangés, sans cependant être bousculés, sans être assez fréquente et rapide, afin que des obstacles indispensables entre les individus comme aussi entre les groupes s'amenuisent au point que les échanges trop faciles égalisent et confondent leurs diversités.

Si hier une lettre envoyée par l'Empereur de Chine, en présence de Marco Polo comme ambassadeur à sa cour mettait au minimum 6 mois avant d'être remise au Doge de Venise, celui-ci pouvait répondre avec un temps de réflexion (quelques jours…) ; ainsi le sujet débattu dans l'épître pouvait être clos avec la plus grande célérité dans un laps de temps de si tout allait bien d'une bonne année… un télégramme en 1866 entre Londres et New York mettra quelques heures… en 1895 la T.S.F. inventée par Marconi ouvrit la porte à l'instantané !

Aujourd'hui, la nouvelle communication est utilisée, mise à contribution, détectable à tous les niveaux de marché. Ne serait-ce que de par le fait qu'il n'y a plus de nos jours de particularisme, d'individualité, de singularité mais de généralisation, de collectivisme dans un cycle de production, de services, d'éducation et de divertissement aussi, en réalité tout est organisé afin que la production avec tous ses produits, après être passé par le stade de la massification via des chaînes ; en optimisant tous les coûts, se retrouve tous aux mêmes endroits, rationalisation oblige entre bas, moyen et haut de gamme…

Le triste constat de cet état de dépendance a été confirmé durant la récente pandémie avec notre manque de masques, de paracétamol, produits tous les deux en Asie et j'en omets volontairement, je ne parle pas des semi-conducteurs et autres… Là aussi monopole et dépendance…

Ces faiblesses sont utilisées par les deux courants actuels : les négationnistes et les passéistes. Ces deux courants « In », en pleine tendance à la mode, prônent un retour à la « préhistoire », j'exagère, hélas, de si peu. Ces nihilistes d'un nouveau genre, ces anti-cultures sont justes bons pour fomenter l'accusation, pas pour la construction, l'édification, ils ne proposent rien. Ils renient toute l'histoire des civilisations de la planète. Ils rejettent les particularismes, les différences qui font la richesse et l'homogénéité de l'humanité : c'est-à-dire l'héritage, le savoir, le vécu, l'appris, le transmis avec ses produits et ses créations.

Il est à noter que les critères et éléments qui doivent être rassemblés pour obtenir une culture civilisationnelle sont au pluriel. Les ingrédients sont au départ issus d'une ethnie, de la naissance d'une lignée, d'une race, de traits distinctifs tels la spiritualité, l'emploi de ses biens matériels, l'usage de la création, les liens affectifs et intellectuels, l'aire géographique et son milieu humain ; tous ces critères une fois amalgamés forment un groupe social dans lequel les arts, les lettres, les sciences, les modes de vie vont être englobés avec un système de valeurs, de traditions et de croyances.

En langue allemande le mot culture a deux significations bien distinctes : le mot « Bildung » se traduit par la connaissance pure et le mot « Kultur » est attribué à un patrimoine social, artistique, éthique le tout appartenant à un ensemble, un groupe d'individus disposant de la même identité. En faisant nôtre la branche ethnoarchéologique de la culture, nous arrivons à distinguer un groupe humain occupant un certain espace géographique dans un laps de temps donné et les individus y résidant.

Durant et pendant mes pérégrinations continentales, et intercontinentales, fréquentes et brutales, je sautai d'un continent à un autre dans la même semaine, voyez le choc... je constatai cette réalité, le territoire avec ses appartenances et ses racines, tel un ADN de notre âme. En effet un Japonais à New York, même si ses réflexes se sont américanisés, son passé sera toujours présent, il restera Japonais, c'est ineffaçable et héréditaire ; de même, vous pouvez prendre l'Allemand le plus cultivé, le plus latinisé ou anglophile, si vous avez l'opportunité de gratter, voir sous sa croûte, il y aura toujours sous celle-ci un Wagner et pas un Verdi ou Gershwin…

Nous sommes loin de la vue actuelle et restrictive, réductrice de nos agitateurs minoritaires et négationnistes. Ils mettent en avant les égarements, les fautes du passé au regard d'aujourd'hui, ils rejettent l'Histoire et essaient de construire un semblant de culture qui leur est propre, culture égalitaire, monotonale basée sur le non-savoir. Ils acceptent et diffusent des slogans sortis d'anecdotes sans tenir compte de l'ensemble de l'histoire ou de la séquence et font des réseaux sociaux leurs alliés, car tout peut être mis en ligne sans vérification en oubliant la société et ses acquis, y compris la leur, celle dans laquelle ils ont grandi, et bâtissent à partir d'éléments secondaires leurs théories subversives, ils ne font référence à aucun élément réel et important du passé, toujours à la rubrique des chiens écrasés. En se référant au vocabulaire allemand, à ce terme de culture ils sont dans le flou, le superflu, l'imprécis et préfèrent les loisirs et les salles de sport avec leurs engins en tout genre qui aident à cette dépendance, crétinisation et cet appauvrissement de l'esprit dit occidental et de sa culture.

Il y a entre Paris, Londres et New York ce courant négationniste qui essaie de faire bouger ciel et terre afin de changer les codes de la culture occidentale en s'attaquant à ses symboles académiques de la culture occidentale classique, en essayant soit de les revisiter, soit de les transformer afin de les mettre au soi-disant goût du jour. Ceci avec le dessein de faire admettre, accepter les visions qui sont les leurs sur des points de civilisation (couleur, histoire, propos…), en lénifiant l'auditoire déjà abêti par le cours anormalement bas de l'éducation et de l'éveil. Il y eut des flottements, des tentatives de changements, des évictions dans tous les répertoires classiques, par exemple la mise au ban par une université anglaise et pas la moindre de Schubert, remplacé par la musique africaine ! Qui de Beethoven, Verdi ou Mozart sera la prochaine cible avec l'enlèvement au Sérail, Othello ou la 9e, d'autres œuvres majeures peuvent être atteintes. Il y eut un rapport de la diversité à l'Opéra de Paris où l'on a pu relever entre autres bêtises qui heureusement n'a pas été retenu : que la danse chinoise et la danse arabe dans Casse-Noisette de Tchaïkovski devaient disparaître, relevant d'une soi-disant sacralisation, également dans le répertoire du Staatsoper de Berlin il y eut la relecture de Don Quichotte qui entraîna la suppression du ballet des Gitans à l'acte 2, heureusement cette mesure fut éconduite, mise aux oubliettes.

Cette tendance peut correspondre à la vie d'un certain public, une masse « orwellienne » sans avis, les disciples et adeptes de la philosophie « woke » qui seront satisfaits de leur mauvaise conscience : « de ne pas en avoir et ne pas savoir », et qui réfutent tout passé intégralement ; alors qu'ils se situent au niveau de la conduite morale au même niveau que les talibans qui détruisirent les statues de Bouddha à Bâmiyân, ou des temples de Palmyre détruits par l'état islamique, à quand la Statue de la Liberté de New York ou la tour Eiffel à Paris. À quand l'abolition du 4 juillet aux USA, du 3 octobre en R.F.A., du 12 juillet en Espagne ou du 14 Juillet en France ?

Cette énumération peut vous paraître fastidieuse, simplette et dénuée de bon sens, pourtant nous sommes proches de la réalité, de leurs pensées. Nous ne sommes pas à l'abri de cette bêtise humaine, il y eut des exemples dans le passé.

Il faut que nous nous rendions compte des dégâts déjà causés, de la platitude, de notre non-engagement et de l'acceptation de tous ces préceptes soi-disant enrichissants et modernes, d'actualité délibérément tronquée pour ne pas dire erronée, dont le but est de nous mettre dans un stade, état larvaire.

Si nous nous référons aux philosophes anciens dits « classiques » et à leurs successeurs européens du type « Hegel », ils parlaient de la tranquillité du passé. Il est question de ce calme, car selon lui (Hegel), c'est sur ce calme sur lequel on peut compter puisque ce qui est fait ne peut être défait et qu'en arrière ne peut être volontaire, vouloir la volonté.

Cela sous-entend que ces minorités n'ont aucune volonté de progression, d'avoir un futur intellectuellement positif, créatif et culturellement enrichissant ; Schiller disait :

« Il n'est pas d'autres pouvoirs en l'homme que sa volonté et de la Volonté, comme base de la réalité a juridiction sur les deux : raison et sensualité, termes dont l'opposition – celle de deux nécessités, Vérité et Passion, détermine l'origine de la Volonté. »

Les négationnistes trouvent là une arme facile pour une population pas réveillée, soumise et suiveuse des actualités et faits médiatisés.

Il est dans la bête, triste réalité d'aujourd'hui plus facile d'émettre une critique que d'avancer une opinion, de proposer une solution, ou simplement d'écouter. L'image de Kant qui faisait l'homme se lever de sa chaise et aller vers la nouveauté, n'est plus du tout à l'ordre du jour, c'est plutôt une mise au feu de la chaise et une position en tailleur, assis à même le sol, sans rien faire, c'est-à-dire à renier le progrès d'avoir su concevoir, créer, assembler une chaise… Ce nihilisme, avec une étiquette écologique passe, pas de ramassage de bois, pas de tressage de l'assise, pas de polissage et de cirage ou lustrage du bâti de la chaise, il n'y a ainsi aucun déchet, on ne fait rien… La majorité des consommateurs veut, espère, souhaite donner une image moderne et progressiste dans ce cadre-là, c'est affiché comme vraiment tendance moderne (cf. 1984 d'Orwell).

Aujourd'hui, nous avons la très nette impression, certitude, que tout devient accessible, doit être accessible au nom de l'égalité, cela dans tous les domaines du marché, de la communication, de l'art, de la musique, du cinéma en passant par les loisirs dits de vacances, les sports et une culture dans un esprit de vainqueur, de meneur, de leader, de guerrier.

Cela correspond bien à la floraison des salles de sports ou de la pratique d'un sport tout court. Ces domaines sont encore plus facilement accessibles avec les moyens modernes de la communication (iPhone, smartphone, montre connectée et j'en passe...), c'est ainsi que l'on peut jusqu'à diagnostiquer votre masse pondérale, votre rythme cardiaque, votre Q.E (quotient émotionnel), votre Q.I. (quotient intellectuel), vos performances, les partager avec des partenaires de jeux, vos amis des réseaux sociaux... Et pouvoir se comparer à la foule bien portante déjà répertoriée.

Tout ce panel d'individus est cloîtré, cloisonné dans un effort pour le plaisir, pour le loisir avec la facilité offerte d'une possibilité de communication anonyme.

Avec les moyens techniques mis en œuvre par cette communication, tout devient accessible, y compris les accessoires et tenues de sport, qui peuvent être trouvés et mis à disposition sans contrainte, sauf pécuniaire. Mais est-ce là le sens réel de l'effort, le sens de l'action ? L'action est le mot juste placé au bon moment, c'est penser la dimension politique du langage comme une action, c'est par cela que l'homme à la capacité de persuader en opposition à l'obligation par la violence (violence des jeux vidéos, violence du dialogue car on veut dominer...). En plus, les humains ont besoin de se différencier des autres, et c'est par la parole.

Dans la configuration actuelle de notre monde, la recherche va dans le sens de l'uniformisation, l'on vous vous aiguille, oriente toujours vers la tendance du marché. Ce n'est qu'elle qui compte et vous met en valeur. Afin d'être encore plus disponible, elle vous offre d'accéder de manière virtuelle à vos désirs ou à ceux provoqués par les promotions générées par les institutions. En fait dans la réalité, nous devenons de plus en plus dépendants de l'image, élément véhiculant et instrument gommant notre esprit critique.

Cet engagement pour et dans l'image est devenu un phénomène planétaire. Non seulement l'image est transmise par l'image cinématographique avec une identification dans les héros des blockbusters, ils vont du guerrier au super héros, puis dans les chaînes d'informations télévisées devenues elles aussi planétaires et friandes de cette image à diffuser (C.N.N., B.B.C. World, Al Jazeera...) avec des audiences frisant le milliard de téléspectateurs pour seulement ces trois médias...
Il ne faut pas oublier les chaînes classiques qui sont avec les programmes en streaming devenues des leaders d'opinion, en apportant aux abonnés, adeptes des visions faciles à accepter, ainsi un géant comme Netflix est présent dans plus de cent quatre-vingt-dix pays...

Sans oublier qu'il y a lieu d'ajouter toutes les chaînes, programmes des autres Amazon, Apple ; et des réseaux sociaux qui occupent 5,2 milliards d'individus qui passent en moyenne plus de deux heures par jour connectés, accrochés à leurs écrans de toute sorte. Ils sont 95 % à être des travailleurs, ils utilisent les navigateurs, tels Chrome, Safari, Microsoft et 57 % d'entre eux disent avoir acheté un produit ou un service en ligne suite à une publicité publiée sur Facebook, You Tube, WhatsApp (là aussi plus de deux heures vingt minutes par jour).

Nous avons résumé en quelques lignes les principales sources d'informations qui vont accompagner notre quotidien, nous frapper via l'image, une image qui va effleurer, toucher l'inconscient, nous conditionner, encore une emprise du capitalisme de surveillance qui se met en place dans nos systèmes de façon profonde et résolue. Même l'Europe, au comportement bonhomme y adhère via les instituts, l'action des lobbies et les institutions.

La réalité
(pas la fiction)

Nos civilisations qu'elles soient occidentale, slave, orientale, asiatique ou musulmane sont touchées par ces phénomènes de pilotage indirect, de guidage des masses consommatrices avec une caractéristique pour tous les systèmes et les réseaux : l'instantanéité de l'information, sauf en République Populaire de Chine où les instances gouvernementales peuvent les bloquer dès qu'elle juge qu'ils vont à l'encontre de sa politique…

C'est un véritable tsunami culturel, bouleversement de la structure de l'esprit que nous subissons et qui déferle sur toute la planète d'internautes disponibles, connectés.

Il ne faut pas oublier qu'une société comme Google, par sa performance, arrive à connaître, cela s'est avéré lors de présidentielle d'Obama, à connaître dans le désordre : le sexe, le nom, la race, le revenu, la religion de chaque électeur ; comment le cibler, l'atteindre et l'influencer.

Les statistiques, données, fichiers de Google comprenaient les courriels, les recherches en ligne faites par les individus, les textes émis ou lus, les photos, les chansons, les messages, les modes de communication utilisés et préférés, les attitudes, les maladies, etc. soit zéro vie privée ! il y avait là tous les éléments pour dresser le portrait complet et exact de chaque individu.

Nous n'en sommes guère loin de cela en France ! Un peu protégé mais pas beaucoup plus. Nous voguons ainsi sur les facilités offertes via le « Web », ces possibilités ne mettent absolument pas en avant la connaissance (elle aussi fichée), mais la possibilité de consommer soit un service, soit un produit est offerte, la connaissance est volontairement absente ou ignorée. Pourtant cette connaissance est présente, disponible mais il faut savoir et vouloir la chercher afin de la trouver.

Pourquoi les enfants des élites de la « Silicon Valley » et du « Net » allant ou ayant droit à la scolarité et son enseignement aux USA ne travaillent pas avec un outil informatique (tablette, portable) mais avec un crayon et du papier ?

À l'opposé, pourquoi mettons-nous alors à disposition des écoles des milliers d'écrans, coûtant des millions ? La réponse est à chercher dans la gouvernance des mécènes, sponsors, fournisseurs de ces matériaux.

Je me permets de citer une personne, une icône du monde nautique (Olivier de Kersauson) avec laquelle j'eus l'occasion lors de rencontres d'échanger des propos, il disait ceci : « Les propositions intellectuelles du corps social aujourd'hui me privent de toute transmission de mes idées à mon fils. Or une société où l'on ne peut plus transmettre à ses enfants est une société qui se meurt. »

C'est un constat terrible, employons le mot. Les anciens, les parents sont implicitement devenus des « ringards » voire des « réacs », des « je dois me taire, je ne sais pas ». Cela me fait songer à l'image véhiculée sur les écrans de toutes sortes ; ce sont les images d'un spot publicitaire, un extrait de la vie sociale où l'on met en avant la soumission du père à un jeu vidéo, pour montrer le temps consacrer à son fils, durant ses loisirs, en plus il en sort vaincu… Belle image…

Ceci nous ramène inéluctablement au message, à la communication dite moderne ; communication en principe voudrait sous-entendre parole, dialogue, mais de nos jours la parole est passée au énième rang, le premier moyen de communication est devenu le message diffusé électroniquement (SMS, chat, mail, etc.), il s'adapte selon les circonstances au clavier disponible et l'on va écrire en fonction des codes en vigueur qui ne sont pas ceux de la grammaire classique, académique ou traditionnelle ainsi que de son orthographe qui aura tendance à se phonétiser.

Cette dérive nous amène obligatoirement à la démission des instances éducatives : l'école et les parents.

Pour avoir la tranquillité après une journée moderne, les parents abandonnent leurs enfants à des écrans, écrans sur lesquels ils jouent, envoient des messages, regardent des vidéos, tchattent sur les réseaux sociaux dans leur langage.

Les parents restent dans leur stress, dans leur agitation et refoulent une prise de position ou de pouvoir sur l'emploi du temps des progénitures ou sont dans la recherche de loisirs futurs. Ils sont dans leurs pensées d'expansion, car il faut toujours faire mieux, être le vainqueur et restent connectés même intellectuellement à leurs tracas professionnels, qu'importe qu'ils soient homme ou femme, père ou mère, ils abandonnent, n'assument plus leurs fonctions de parents telles qu'elles furent remplies au 19e et jusqu'à mi 20e siècle.

Certes la recherche d'une perfection est présente, mais aux dépens de tous les cadres nécessaires au développement de l'esprit et à son épanouissement intellectuel, aussi bien au niveau de l'individu que du groupe.

Regardons avec les yeux, avec une vision d'éthologue (notre spécialiste du comportement humain et animal), ainsi nous avons la possibilité de faire des comparaisons, de mettre en parallèle les comportements entre ceux du genre humain et certaines races animales. C'est plutôt tendance à vouloir préserver la faune animale, cependant certains comportements ne frisent pas l'exemplarité, il ne faut pas l'oublier, quant aux stratégies elles apparaissent, sont à mettre dans le même scénario, l'homme n'est qu'un pâle imitateur, adaptateur.

Aussi il faut être honnête et téméraire de reconnaître que si nous assumons une supériorité qui vient de la possession de l'outil et de la machine, autrement nous ne sommes guère supérieurs dans l'absolu avec certaines races animales.

Dans le monde animal comme dans le monde humain, la formation de couples est la nécessité pour faire perdurer la race, la lignée, la continuité de la vie. Dans les schémas existants, il y a deux grandes tendances : les cellules monogames et les cellules polygames. Un côté pile et un côté face, dans le milieu animal il y a des races, des animaux qui pendant des années sont conjoints comme les castors, les cygnes, les loups, ils suivent les préceptes sans le savoir de la civilisation judéo-chrétienne, alors que de l'autre côté les cerfs avec sa harde, les lions et ses lionnes, l'éléphant de mer et son troupeau, rejoignent en comparaison la culture musulmane avec son sérail ; il y aura aussi des exemples de matriarcat aussi bien dans des populations primitives qu'animales comme les bonobos, les orques ou chez les éléphants. Il est à remarquer que l'être humain se comporte dans sa généralité à l'identique de l'animal.

Toutes les figures existeront et ont existé. Le comportement de la « mamma italienne » sera toujours différent de celui de la « mamma suédoise » modèle de l'éducation positive, cela depuis des siècles et dans le futur. Il en va de même pour le comportement masculin, il varie du Nord au Sud.

Les enfants suivront des cheminements identiques à l'élan donné par l'exemple matrimonial et la complexité de la société et de la communication, qui se conjugueront et selon plus le milieu humain se fera de manière plus ou moins subtile en raison des loisirs et du travail effectué.

Nous sommes aujourd'hui en Occident dans une société dont les cadres ont changé. Ils n'arrêtent pas d'être perturbés par des faits divers, qui malgré leurs gravités, ne devraient pas remettre en cause des principes fondamentaux qui sont le respect, la liberté, l'action, l'œuvre. Mais la communication devenue planétaire et la circulation dans l'instantané sont des éléments fragilisants des bases qui elles deviennent obsolètes et décadentes ; bases fragilisées par l'intrusion des réseaux sociaux dans notre réflexion et infléchissant le comportement médiatique des instituts et institutions.

Tout cela avec une volonté qui est dirigée par une motivation qui est devenue un leitmotiv : « faire le moins d'efforts possibles », avec une prospection permanente et systématique de moments de loisir, plutôt le loisir que l'effort.

Les identités, les caractéristiques familiales : mère, père se sont métamorphosées. Elles subissent de manière constante les propositions offertes par le marché en créant des changements au sein des systèmes éducatifs, sociaux, civiques, culturels et naturellement en dernier lieu familiaux. Ces transformations subies iront affecter le savoir collectif et le rejet de l'héritage de notre passé.

La culture doctrinaire de la volonté de croissance, de l'expansion du loisir, de la négligence du patrimoine social et familial met en évidence de par sa généralisation une lente mais sensible érosion de la prédominance de la civilisation occidentale et de la perte de son hégémonie.

Il faudra ajouter à ce constat l'apparition d'un schisme grandissant entre les domaines privé et public. Ce séparatisme s'est considérablement accru par rapport à 1958, date du constat fait par Hannah Arendt avec selon ses dires :

« La croyance populaire en "l'homme fort" qui, seul contre tous, doit sa force à sa solitude, est ou bien une simple superstition fondée sur l'illusion que l'on peut "faire" quelque chose dans le domaine des affaires humaines ("faire" des lois par exemple, comme on fait des tables et des chaises, ou rendre les hommes "meilleurs" ou "pires"), ou bien un découragement conscient de toute action, politique ou non, uni à l'espoir utopique qu'il est possible de traiter les hommes comme des matériaux. »

Il y avait d'antan la vie publique et la vie privée qui correspondait chacune à soit le domaine public ou le domaine privé. Il est apparu dans la configuration du monde social et contemporain que ce phénomène s'est accentué jusqu'à l'éradication du semblant de vie privée que nous pouvions avoir.

Ce schisme est un affaissement, un séisme qui génère une neutralisation totale du privé conditionné par le public. Ainsi notre monde actuel suit la pensée d'Hannah Arendt, qui disait qu'une sagesse qui ne prend pas en compte notre réalité historique, loin de nous aider, ne peut que nous détruire et c'est exactement ce qui est en train de se passer. Il y a huit questions qui sont d'actualité au temps de l'homme soumis à la gouvernance d'un capitalisme de surveillance.

Ainsi nous arrivons à un profil, une image, un portrait de l'homme actuel devenu homme digital et le questionnement avec ces 8 interrogations est justifié ; elles sont :

– Que devient le travail ?
– Que deviennent l'action politique et l'espace public ?
– Existe-t-il encore un monde commun ?
– Avons-nous encore une vie privée ?
– Le rôle de l'art dans la permanence du monde ?
– Notre rapport à la Terre et la Nature ?

– Savons-nous et pouvons-nous débattre politiquement des choix politiques et scientifiques ?

– Savons-nous et pouvons-nous débattre politiquement des choix économiques ?

Nous allons prendre le temps et essayer de répondre à chacune de ces questions, au minimum d'émettre un début de réponse, une hypothèse possible, en fonction des données et connaissances.

Question 1 :
Que devient le travail ?

Le premier constat à faire : le travail a perdu toute sa valeur dans la civilisation occidentale et la Vieille Europe, la majorité de la population est astreinte à effectuer un labeur, un travail sans fierté, le plus souvent avec un stress permanent dû la recherche permanente et extrême d'un ratio profit/productivité le plus favorable possible, avec comme conséquence une instabilité de l'emploi et une acceptation du marché néo-libéral. C'est le coût qui détermine le lieu de production, qui le produit et comment en combien de temps.

Il n'y a plus, guère, de fierté dans le travail, ce sont encore quelques groupuscules artisanaux qui défendent ce flambeau en Occident.

Les consommateurs eux sont à la recherche pour eux-mêmes du « job » le mieux payé, le moins stressant, offrant le plus le plus de possibilités de loisirs (temps et moyens), de pouvoir profiter des moyens mis en place par les organisations vous offrant dans une fourchette de temps réduite le plus d'activités extraprofessionnelles, les temps de congés sont courts en Amérique et Asie, du double en Europe occidentale. Cela engendre des tsunamis de touristes en quelques points du globe : Venise, Santorin, Barcelone, Londres, Paris, New York, etc.

Quant à l'œuvre, aboutissement généré par le travail d'un artiste, il y a un soupçon de frémissement afin de pouvoir quelques classes sociales, sachant qu'il n'y a plus d'art populaire, vu l'absence d'un peuple.

Ce sont des gens, des personnages soit à la recherche du must sociétal ou quelques esthètes qui eux se démarquent de la vague consumériste du must. Il y a des exemples frappants quant à l'attribution d'une valeur au travail…

Ces exemples sont frappants, en effet essayez de vous imaginer un diplômé d'une grande école que fait-il ? Un Polytechnicien devrait entrer dans la vie active industrielle ou publique, être serviteur de l'État ou de l'Industrie, non il cherchera une position de trader ou de financier (agent).

La démarche va être, hélas, la même pour un sortant de Centrale, des Mines : l'attrait de la finance et de sa possibilité de gains très substantiels l'emportera sur la formation des titrés.

Les diplômés de l'enseignement supérieur, ne feront pas mieux, il suffit de les interroger, la réponse est sans équivoque : cela va du « je ne sais pas, j'ai pas encore réfléchi à je n'ai pas envie de poser mes valises, mais j'irai bien travailler en tant que saisonnier une fois en Amérique, puis en Australie et pourquoi pas à Singapour et entre temps profiter de l'argent gagné lors du job précédent ».

Ils chercheront eux aussi le profit maximum pour un temps donné. Alors qu'ils pourraient postuler, remplir des fonctions dans toutes les branches qui sont les leurs, ils ne veulent plus s'investir, le diplôme est devenu un simple visa pour voir le monde.

Autrement dit, la traduction : le travail a perdu sa valeur et est devenu une clef, une partie de l'existence permettant d'assouvir ses besoins primaires, sans aucune contrainte sociale ou même familiale, bénéficier d'une liberté factice qui vous jette sans cesse de la poudre aux yeux.

Hier, on bâtissait, avec le soutien d'une mère qui était, constituait la colonne vertébrale de la cellule familiale, qui en se multipliant donnait naissance à une société et une civilisation.

Au nom d'un féminisme, l'on transmet une partie de son domaine, ses devoirs, ses responsabilités à l'élément masculin, avec tous les aléas. Mais ce thème du féminisme, de la cellule familiale, des engagements, même s'ils sont inéluctables, sont sans cesse contournés sous prétexte d'égalité.

Mais restons dans le thème général du travail.

Un homme est la somme de ses actes, ce qu'il fait, de ce qu'il peut faire. Rien d'autre.

André Malraux

Question 2
Que deviennent l'action politique et l'espace public ?

Sans le souhaiter et le vouloir, cette question est intimement liée à la première, un homme politique, un parti dans toute démocratie cherche à recueillir des voix, sauf en dictature, et cherche à satisfaire un électorat, cherche à lui plaire, cherche à le séduire, cherche à le satisfaire ; pour cela l'homme politique promettra : « le moindre effort », un temps de loisirs rallongé et un pouvoir d'achat accru…

Un programme truffé de contradictions mais certes toujours alléchant. Il promettra aussi la possibilité d'une rentabilité supérieure aux entrepreneurs et sociétés.

Quant à l'espace, lui il se restreint de par le Graal qui est mis en place : « La Liberté », en fait c'est surtout la liberté de ne pas faire.

Les droits individuels de chacun sont mis à mal, car en dirigeant les citoyens vers et dans des votes, des lois abolissant par exemple le droit de fumer dans les parcs, le droit sous prétexte d'écologie de ne pas dépasser le 30 km/h alors qu'il est prouvé scientifiquement que cette mesure est inadéquate, inopérante, inefficace, j'attends la loi dans laquelle il y aura le bistrot où l'on ne peut pas boire… Je plaisante, hélas si peu…

Question 3 :
Existe-t-il encore un monde commun ?

Oui, les médias et les institutions s'y emploient de manière assidue tout en essayant que ce monde commun devienne le navire dans lequel tous vont et font et pensent à l'identique, avec un développement de l'emprise du sport dans la vie quotidienne, et une politique dirigée vers les loisirs.

Le monde commun se lit, se fige sur des écrans, la famille elle aussi se trouve dans la connexion digitale, ils passent tous des heures interminables sur les réseaux.

Le cercle familial au sens propre du terme se resserre, se referme, rétrécit, il devient difficile d'avoir une relation, communication entre les membres de la famille, mais il y tous les réseaux de « Followers » et autres individus virtuels : Facebook compte 2 910 000 000 d'amis ! (soit plus du tiers de la population mondiale !) dont 1,93 milliard sont actifs ; soit 1 personne sur 4 dans le monde, et nous, ne comptons pas les concurrents style TikTok ou autre You Tube, Instagram… C'est la communauté.

Le présentiel devient lui de plus en plus rare dans la société et même dans la famille, il devient aléatoire et non désiré, l'écran ayant pris sa place. Il en va de même dans le mode du travail qui lui a découvert ce que l'on nomme le télétravail…

Question 4 :
Avons-nous encore une vie privée ?

Pour répondre simplement à cette question, la réponse est : « Non ».

Elle est claire et spontanée, si vous possédez un smartphone, une tablette, un portable, une télévision dernière génération, une voiture dite connectée avec Bluetooth et Google, une carte de crédit, la réponse est confirmée, vous n'avez plus de vie privée, le comble vous êtes en plus sur Netflix, OCS ou Amazon (Prime Vidéo) et comble vous avez une enceinte type : « Alexa ».

Aujourd'hui avec l'alibi de la facilité, du moindre effort, tout est connecté, tout est collecté, votre vie privée n'est plus, les fichiers se vendent, les publicités vous assaillent, s'insèrent dans votre ordinaire, via des offres dites promotionnelles, via un achat de produits ou de services qui vous a fait catalogué dans un genre donné...

De Google à votre banquier en passant par les restaurants et les lectures vous ne pouvez plus avoir un secret sauf si vous avez l'audace de payer « Cash ». L'on arrive à déterminer quels sont vos penchants culturels, sportifs, de hobbys tout court...

J'ai simulé un intérêt pour des articles de sport, n'étant pas sportif ! ainsi en seulement quelques minutes les promos, les annonces pleuvaient sur mes écrans...

Je pourrai vous citer, vous donner des exemples à la pelle, tous les secteurs, toutes les branches sont concernés en allant du textile à la culture : littéraire, musicale avec les C.D., vinyles ou les D.V.D., ceci pour les sujets, domaines dans lesquels j'ai un intérêt, je suis sensible, j'omettrai tous les autres, le constat est évident : là la communication fonctionne toujours dans le sens du vendeur vers le consommateur.

Question 5 :
Le rôle de l'art dans la permanence du monde ?

Il n'y a plus d'art populaire parce qu'il n'y a plus de peuple.
André Malraux

Cette citation, métamorphosée en axiome est d'une vérité criante. Il faut ajouter à cela il est nécessaire de distinguer l'art classique et l'art contemporain.

Aujourd'hui, l'art classique, académique est mis à mal pour de multiples raisons : quelle soit raciale, historique, création (manque), académisme. L'art est un concentré, était, est et sera celui d'une civilisation, donc d'un passé, d'un présent et d'un futur, donc forcément d'histoires, donc de peuples…

Mais ces valeurs sont attaquées par les courants modernes tels le wokisme, la cancel-culture, ils vont à l'encontre de l'art. L'art est issu d'un œuvre, qui elle est issue d'un milieu humain, d'un travail individuel ou collectif ; c'est ainsi qu'a évolué la sculpture en passant de la civilisation grecque à la civilisation latine.

Cela nous amènera aux cathédrales pour finir par engendrer le romantisme. Il en va de même pour la musique qui de divertissement du roi et de sa cour est devenue sous Mozart musique destinée au peuple.

Ce mouvement est confirmé par Beethoven et sera également reconnu par les cours royales (Premiers pas vers la démocratie…). La peinture, quant à elle, est sortie du statut de fresque à matière à être exposée, à faire son entrée dans les musées avec une accessibilité pour tous.

Que cela soit la musique (sous toutes ses formes), la peinture, la sculpture, l'architecture : l'art devient audible ou visible pour une majorité de gens intéressée, tels des opéras de Verdi, Wagner et autres classiques, du théâtre avec des auteurs comme Molière, Shakespeare, des interprètes comme Maria Callas, Pavarotti, Karajan, des peintres comme Van Gogh, Picasso, Modigliani et quelques autres… ils l'ont permis.

L'art est un livre ouvert vous donnant l'évolution d'une société dans sa partie la plus intime, provoquant émotion et ressenti, ce n'est pas l'union autour d'une œuvre car chacun voit, ressent ou entend autre chose, perçoit différemment l'œuvre tout en étant atteint dans sa personnalité et entité.

Il me faut préciser que ce que l'on nomme chef-d'œuvre n'est qu'une dénomination superficielle et personnelle ; un simple exemple un livre inconnu peut vous paraître être une véritable œuvre à ce moment précis, à d'autres instants il vous serait apparu insignifiant. Ce sont vos émotions qui influencent votre goût et jugement.

Question 6 :
Notre rapport à la Terre et la Nature ?

Ce rapport est ce que l'on appelle, nomme : « l'écologie ». Cet élément ou plutôt les éléments la composant créent de nos jours un courant de pensées et d'actions conçues sur une base destructive, elle contredit, annule, démolit tout ce que les civilisations ont apporté comme progrès et ne propose rien de constructif et allant dans le sens du progrès ou d'une avancée technologique et intellectuelle. La thèse actuelle de cette écologie n'apporte pas de solutions intelligentes, elle se borne à la critique environnementale, peu efficace.

Il est inutile de retourner à l'âge de pierre pour que les choses s'améliorent, il faut une écologie intelligente qui est en accord avec le capital, la finance, la nature, la science et l'économie. Il faut composer avec l'héritage du passé et les solutions d'avenir, avoir une organisation de l'écologie mondiale, genre O.N.U., avec une vision planétaire incluant les énergies, toutes les énergies : fossiles, hydrauliques, éoliennes, nucléaires et solaires. Accentuer, accélérer le domaine de la recherche afin de découvrir de nouvelles solutions, d'en créer des plus performantes, en optimisant au maximum les anciennes technologies car elles doivent pouvoir s'appliquer sur tous les territoires, dans toutes les circonstances et ne pas jouer avec une politique du genre : « je ne vois pas plus loin que le bout de mon nez », ce qui se passe avec la fée électrique pour l'industrie automobile.

Avoir une voiture électrique en Mongolie ou en Afrique, c'est peut-être écolo mais galère… Climatiser un stade de football de 60 000 places est ce nécessaire ? Avoir des H.L.M. flottants (navires de croisières) alors qu'un tourisme différent peut exister ? La concertation, la décision doivent satisfaire l'humanité, le milieu humain étant la base de la réflexion. L'homme doit se fixer des limites.

Comme le disait si bien Albert Camus : « Un homme, ça s'empêche. »

Question 7 :
Savons-nous et pouvons-nous débattre politiquement des choix scientifiques et techniques ?

Là aussi la réponse est brutale et tombe tel un couperet : « Non ».

L'exemple le plus frappant est la crétinisation de la population et son impossibilité d'avoir un consensus sur une crise telle la pandémie que nous venons de subir. En plus, nous sommes formatés pour suivre pas pour débattre.

Même avec tous les outils mis à notre disposition par la technique, nous sommes dans l'incapacité, malgré les algorithmes, les données sociales et scientifiques de prévoir, gérer d'éventuels évènements majeurs dans ces domaines de la science ou de la technique, le côté financier, le rapport aux dividendes étant le facteur décisionnaire primordial.

Quant à la technique, nous la subissons, elle nous est imposée en fonction des modes en cours. Nous sommes devenus friands de tous les gadgets qui facilitent notre vie, diminuent nos efforts (physiques ou mentaux). Ces objets ou services nous rendent dépendants, ils améliorent certes notre soi-disant bien-être, conçu par des institutions, même si l'élaboration de ces objets peut constituer une nuisance pour une partie de l'humanité ou de la planète (exploitation d'autrui, pollution…).

Si la science et la technique sont utilisées pour avoir des jeux olympiques d'hiver sur neige artificielle, ou une coupe de monde de football dans des stades climatisés ou encore permettre à quelques milliardaires de jouer aux astronautes, notre monde doit se relever et arriver à un niveau nettement plus sensé.

Question 8 :
Savons-nous et pouvons-nous débattre politiquement des choix économiques ?

Malheureusement, là aussi la réponse est négative.

Pour avoir la capacité de débattre il faut un tant soit peu, un minimum de culture et de savoir, une érudition qui se doit générale afin de pouvoir se baser sur des fondements, il n'est pas nécessaire d'être spécialiste de la chose, le savoir et le bon sens élèveront le débat. Il ne faut surtout pas être « suiveur ».

Nous pourrions avoir une influence dans le débat, cela se déroule très favorablement en Confédération Helvétique avec leur système de votations, c'est une démocratie à la taille humaine, cette taille et ce milieu humain ont une taille critique, l'espace du pays, le nombre d'électeurs, les questions posées jouent elles aussi un rôle critique et déterminant dans le résultat, la souplesse de l'organisation aussi. Le monde occidental est sous l'influence des réseaux sociaux qui capitalisent les données des abonnés et les négocient avec les institutions, le taux de pénétration est au-delà de la moyenne en Suisse, ils ne sont plus sous influence, c'est un quotidien comme un « petit crème » le matin.

Débattre politiquement de choix économiques implique une connaissance de l'économie de marché, devenue mondiale et néo-libérale, elle, cette économie influence directement les acteurs et de débatteurs ; nous sommes devenus des suiveurs.

Nous avons effleuré le sujet avec la voiture électrique qui n'est pas la solution, mais une partie du puzzle, elle provoquerait selon un grand dirigeant de l'industrie automobile la disparition plus de 50 000 emplois en France, plus de 170 000 en Europe occidentale, il était en position de révolté lorsqu'il promulgua ces chiffres, ces données. Aujourd'hui, il a été avalé par le système…

Il est possible qu'une solution existe, elle doit exister, mais elle sera de longue haleine et pluridisciplinaire sur le marché des produits et des services.

Un exemple frappant est la vague de relocalisation suite à la pandémie dans diverses industries, telles la pharmacie ou l'électronique avec les semi-conducteurs. Ces situations de dépendances étaient connues, mais volontairement occultées en relation avec le profit, cherchez le débat, il n'y en avait pas même au sein des spécialistes des branches incriminées.

La situation générale a fait que toute la logistique, son coût a explosé, du fait de la prise de conscience de l'offre et de la demande, cela aussi aurait pu être prévu et débattu, les situations de monopole étaient visibles et pouvaient être débattues. Ces situations étaient là, déjà au temps de « Sun Tzu », et décrites par lui sans aucune erreur dans « L'art de la guerre », toujours d'actualité aujourd'hui, mais là aussi c'était écrit et l'on n'en tient pas compte, mêmes quelques illuminés comme un Hitler ou un Napoléon l'ont ignoré.

Dans la stratégie moderne n'est retenue que la notion de profit maximum à court terme afin d'alimenter les dividendes des actionnaires, suiveurs eux aussi, pas débatteurs alors qu'ils sont au cœur du problème. Les actionnaires regardent leurs dividendes, les présidents jouent leurs réélections et leurs bonus ou « stock option », les experts ne regardent pas au-delà du bout de leur appendice nasal, triste monde, les autres sont ballotés.

Il est à notre portée de jouer sur le moyen terme en faisant fi des médias et des réseaux sociaux, en ne divulguant pas notre personnalité, notre singularité ainsi vous ne pourrez pas être mis en catalogue ou liste de client potentiel. Cela engendrera des enquêtes erronées et dans le futur de celles-ci.

L'objectif est de pouvoir débattre, ce qui influencera le résultat avec la mise en place de diverses options. Le débat remettrait en cause les choix, par notre volonté de consommer, d'utiliser, ces réactions feront, obligeront les producteurs et les prestataires de services à revoir, réorienter leurs offres économiques.

Ce sont nos décisions de changement, de vouloir consommer qui feront que les décisions seront influencées par ce débat qui changera les comportements de nos personnes.

Cela entraînera un nouveau redéploiement à la fois des stratégies et le redéploiement de l'économie vers le local, la réindustrialisation des « déserts industriels », tout en allant dans le sens du marché et des besoins. La mondialisation prendra un aspect différent avec une culture de la diversité sans être dans le néo-libéralisme à outrance.

Le chemin pour arriver à obtenir des droits pour l'usager, le consommateur, le client, le citoyen ne sera pas facile et demandera une connaissance approfondie de tout le système en se gardant d'être bien à l'abri de toutes les propagandes et de les rejeter systématiquement en utilisant notre savoir, notre culture et notre bon sens.

En réalité, il est demandé à l'individu de changer le sens de la communication, aujourd'hui nous recevons des messages, nous sommes les récepteurs, mais il est vital et nécessaire que nous soyons aussi les émetteurs et à ce moment-là, la communication prendrait tout son sens et le dialogue serait renoué.

En pratiquant de la sorte nous reviendrons au télos d'origine : travail – œuvre – action – communication. C'est-à-dire à l'objectif, au but à atteindre, que cela soit dans le travail, dans l'art (œuvre) ou dans l'action. Nous nous retrouvons dans le scénario où l'individu, l'usager ou le consommateur devient le décideur de son travail, de son œuvre et de son action de manière volontaire sans faire disparaître les contraintes d'un monde, d'une société où les valeurs se retrouvent à nouveau au-delà d'un labeur et d'une consommation irréfléchie.

Cela engendrera de manière indirecte, en effet collatéral une richesse de l'être humain même si celle-ci est immatérielle, alors que dans un système néo-libéral la richesse n'est qu'un amoncellement de papiers et de titres sujets à des crises, telle celle de 1929 ou à des effondrements suite à des évènements politiques.

Mais l'homme contemporain a perdu cette faculté de penser et le chemin à parcourir dans son univers pour tenter de récupérer et revenir à un pouvoir décisionnel propre, le chemin sera long, seuls des éléments dramatiques pourraient accélérer, précipiter ce mouvement.

Des bouleversements climatiques, un écroulement géopolitique, une crise sociologique pourraient remettre en cause les civilisations actuelles. Il ne faut pas oublier l'ancien bloc soviétique, avec ses satellites, sur tous les continents, la balance était faite par l'impérialisme américain, le choc entre démocratie et totalitarisme. La seule différence est la vitesse de propagation de l'actualité, il y eut des crises économiques, des guerres, des guerres de religion, des conflits mondiaux, mais l'humanité est toujours parvenue à les résoudre et s'en sortir.

Albert Camus était déjà dans cette réflexion, il esquissa quelques propositions de solutions lui l'idéaliste, aussi je me permets de vous citer des extraits d'un article de sa plume qui fut publié et qu'il a titré : « L'esprit de lourdeur ».

« Savez-vous, disait Napoléon à Fontanes, ce que j'admire le plus au monde ? C'est l'impuissance de la force à fonder quelque chose. Il y a que deux puissances au monde : le sabre et l'esprit. À la longue, le sabre est toujours vaincu par l'esprit… »

[… Le sabre des temps modernes : ce sont les réseaux sociaux, les médias, les institutions du pouvoir et du capitalisme de surveillance.

… L'esprit : c'est le passé, la culture, le savoir, l'éducation et le tout dans le respect.]

« C'est une tâche, il est vrai, qui n'a pas de fin mais nous sommes là pour la continuer. Je ne souscris pas assez à la raison pour croire au progrès ni à aucune philosophie de l'histoire.

Mais je crois du moins que les hommes n'ont jamais cessé d'avancer dans la conscience qu'ils prenaient de leur destin. Nous savons que nous sommes dans la contradiction, mais nous devons refuser la contradiction et faire ce qu'il faut pour la réduire…

… Sachons donc ce que nous voulons, restons fermes sur l'esprit, même si la force prend pour nous séduire le visage d'une idée ou les prestiges de confort. La première chose est de ne pas désespérer. N'écoutons pas trop ceux qui crient à la fin du monde. Les civilisations ne meurent pas si aisément…

… Nous ne gagnerons pas notre bonheur avec des symboles. Il faut plus sérieux…

… Si l'on veut sauver l'esprit, il faut ignorer ses ventres gémissants et exalter ses forces de conquêtes. Ce monde est empoisonné de malheurs et semble s'y complaire. Il est tout entier livré à ce mal que Nietzsche appelait : l'esprit de lourdeur.

… N'y prêtons pas la main. Il est vain de pleurer sur l'esprit. Il suffit de travailler pour lui. Mais où sont les vertus conquérantes de l'esprit ? Le même Nietzsche les a énumérées comme les ennemis mortels de l'esprit de lourdeur. Pour lui, ce sont la force de caractère, l'esprit et le goût, le "monde", le bonheur classique, la dure fierté, la froide frugalité du sage. Mais les vertus dont je viens de parler sont plus efficaces que jamais. Chacun peut y choisir ce qui lui convient. »

Voilà éventuellement une recette que l'on appliquer, il suffit de prendre en livres de chevet : « L'homme révolté et le Mythe de Sisyphe » et les transposer dans la période actuelle.

Toujours selon Camus notre civilisation se survit dans la complaisance d'âmes lâches ou haineuses. Ces propos sont également d'actualité vu les courants actuels : le wokisme et la cancel-culture. Ils sont tout à fait dans l'air du temps et profitent de l'opportunité de faiblesse qui leur est offerte.

Les temps changent, la caractéristique humaine, elle reste figée. Cependant, des îlots de résistance sont présents et permettent d'espérer avec l'appui d'une science bien appliquée à destination du bien-être planétaire sans aller dans l'écologie destructive que nous connaissons aujourd'hui.

À force de communiqués, on nous assomme avec des messages concernant notre bien-être, le bien-être de la planète, cela peut s'appeler l'écologie avec des tendances que l'on veut lourdes, inévitables, par exemple la voiture électrique pour les 5 continents !

Imaginez une voiture de ce type en Patagonie, ou en Sibérie, j'ai changé de lieu, la Mongolie et l'Afrique sont toujours concernées. Il y aura forcément des problèmes, par exemple comment parcourir de telles distances ou d'affronter un froid intense, la perte de performances dans le froid, le manque de réseau et de production électrique dans les deux cas. Pensez simplement même au niveau européen le niveau de production nécessaire pour assumer la circulation d'un parc automobile à 100 % électrique, sans parler du recyclage des batteries et du poids supplémentaire généré par celles-ci avec les conséquences sur les pneumatiques. C'est de l'utopie, de l'aberration pure. C'est écologique électoralement causant…

En plus il ne faut pas négliger tous les torts causés à la planète, depuis l'extraction des métaux rares, des terres rares et comment elle est faite et par qui… Je n'aborde même pas le cycle de fin de vie des batteries, le recyclage, la mise au rebut.

Dans la pyramide décisionnaire, nous sommes totalement écartés et sommes justes des pions que l'on utilise, ne sachant pas où l'on veut nous mener, c'est selon les jours, les évènements, le marketing ambiant. Nous sommes dans la manipulation de masse, dans une obéissance de troupeau.

Cette manipulation a lieu aussi bien sur le lieu de travail, sur le trajet du travail, dans son enceinte privée. Le monde capitaliste et ses agents ont appris à manipuler tout ce monde, de l'ouvrier à l'artisan, de l'écolier à l'étudiant, du diplômé au professeur, personne n'est épargné que ce soit à l'Est ou à l'Ouest.

Dans le monde occidental est annoncé le droit à la parole, le droit d'expression, c'est un ou des systèmes démocratiques qui sont en place et nous sommes dans la mouvance d'une liberté sans arrêt encadrée par de nouvelles lois restrictives pour défendre cette liberté. Dans ce mouvement il n'est guère tenu compte de l'autre et de ses envies. Il y a des lustres lors de mes universités un professeur nous avait enseigné et fait comprendre la maxime suivante : « La liberté commence là où nous ne nuisons pas à l'autre. »

Le cheminement est à l'identique pour l'homme tout court. Il était devenu l'homo faber et cela pour avoir sa tâche facilitée, mais celui-ci dans sa recherche de se parfaire est passé au stade d'homo sapiens qui lui-même est en train de devenir plus fort, plus grand, plus intelligent, avec comme corollaire un développement de son cerveau et une diminution de sa masse musculaire, c'est un peu digne d'un scénario de sciences fictions, mais personne n'est possesseur d'une quelconque vérité, la seule évidence et constatation majeure est l'installation dans une paresse aussi bien intellectuelle que physique, sauf pour les temps de loisirs où l'effort est consenti de bon gré.

Il est vrai que les chiffres parlent d'eux-mêmes, il est très facile de vérifier et de réaliser que les loisirs, les loisirs de toutes sortes sont devenus les meneurs de l'économie et de l'industrie en général.

L'industrie aéronautique avec le transport des usagers (touristes) : 4,2 milliards de passagers, son industrie cadette, elle a éclos avec la croisière, ce tourisme draine environ 500 000 lits sur toutes les unités, soit presque 6 % de la capacité hôtelière mondiale.

À eux deux, ces deux segments entraînent :
– Un : la construction aéronautique ;
– Deux : la construction navale ;
– Trois : les infrastructures nécessaires (aéroports, ports, hôtels, routes, les industries lourdes et technologiques concernées).

Il est à noter que pour le loisir en tenant compte de tous les emplois indirects il y a une personne sur cinq qui touche à ce secteur ou travaille pour ces branches, l'on peut ajouter dans ces cases production de « loisirs » l'industrie du jeu vidéo qui dépasse les 12 000 emplois en 2018 sachant qu'ils étaient 6200 en 2010, que c'est la première industrie de loisirs en France avec plus de 5000 emplois et génère mondialement plus de 300 milliards de ventes en $ des chiffres auxquels l'on peut ajouter les chiffres du sport et de l'industrie du cinéma et de son petit frère la série !...

Ce sont plus de 1200 milliards de $ en plus. Vous constaterez en ayant une vue globale sur le loisir que son emprise sur le mental de l'individu est importante de par son côté économique ou ludique.

Ainsi de nos jours, mais il a été toujours ainsi l'homme gère son temps de manière systématique en fonction du temps qu'il passera à se détendre... Il est évident qu'ils ont évolué depuis les temps passés, mais ils furent toujours là.

L'humain a toujours géré selon sa volonté, son existence et la volonté a été prise comme base de son jugement propre et unique en ayant comme base la réalité : des choses de la vie, des pensées, des évènements vécus ou provoqués, la volonté est dominatrice sur la raison et la sensualité, deux termes en opposition avec vérité et passion qui eux ont pour origine volonté propre. La volonté dans les temps modernes se métamorphose en itinéraire : « du essayez de faire le moins possible » et la communication sociale nous aide et incite à aller dans ce sens, les réseaux sociaux apportent de l'eau comme l'abée au moulin, ce qui rend impropre l'établissement d'un courant de pensées libératrices et révélatrices de l'essence de l'homme et de la civilisation.

Tout est mis en œuvre pour avoir une gérance de l'oisiveté à un niveau jamais atteint, plus de 20 % du P.I.B. de manière directe, un travailleur sur cinq est concerné, 40 % des individus de la population mondiale jouent.

Je vous ai donné plus haut le nombre d'abonnés sur les réseaux sociaux (le principal), je vous ai cité l'emprise de Netflix, qui au passage utilise 15 % de la bande passante, avec des pics à 40 %, suivi de YouTube avec 11,5 %, vive l'écologie avec tous ces monstres électroniques !

Comment faire pour sortie de cette spirale de l'oisiveté, comment œuvrer pour que cela cesse, comment et que faire de ce temps éventuel récupéré afin de l'utiliser pour l'intellect et le savoir, la vraie écologie, une autre économie ? Cela passerait par une réorientation de notre triangle des Bermudes : – Travail – Œuvre – Action.

De toute évidence cela amènerait des réorientations fondamentales : la première serait de donner une juste valeur au rendement du capital (c'est le pilier), la deuxième serait d'abandonner le capitalisme néo-libéral et son mondialisme, le troisième d'abolir le capital de surveillance, en quatrième l'abolition des régimes dictatoriaux, cela aurait pour conséquence directe une valorisation du travail et du milieu humain avec un arrêt des accumulations de valeurs « papier » et une prise en compte de la valeur terrienne.

Le travail minimiserait l'exploitation de l'homme, ceux-ci se verraient revalorisés, l'orientation ferait que l'on agisse en bienfaiteur de la planète après des siècles de prédation.

L'orientation serait conseillée, guidée par l'écoute intelligente des centaines d'ONG qui seraient dépolitisées, elles seraient les ambassadrices des océans, des forêts, de la faune et de la bonne exploitation des produits de la terre (lieu de production, lieu de consommation…).

Il faudrait également avoir une réflexion à promouvoir une écologie non destructrice et non nuisible, aujourd'hui elle est enchaînée au capital et joue le rôle de faire valoir. Ce qui engendre forcément ces politiques de retour à l'âge de pierre, la science n'est pas mise à contribution, elle qui nous a fait progresser pendant des siècles. Il nous faut déclencher les volontés justes qui entraîneront l'action.

Les moyens scientifiques, les évidences techniques pourraient créer, selon la volonté affichée un progrès dans l'écologie.

Il est exact qu'hier il y avait une volonté, devenant aussi une obligation, un devoir de faire, de devenir, d'entretenir le tout avec un certain effort, effort qui lui amènerait après une libération, une gaité de vivre, une période intense de plaisirs, de courtes pauses, de belles retrouvailles familiales, de joyeux repas entre amis avec le plaisir d'échanger, pas de se mettre en valeur pour démontrer que l'on est le plus guerrier.

Le travail était un élément libérateur de notre civilisation, aujourd'hui le travail est devenu labeur est juste générateur du moyen d'accéder aux loisirs. L'ivresse des mots, la nostalgie joyeuse se sont métamorphosées en banalité et tristesse, celle du mâle blanc amoureux de la vie et de la femme attrayante et pleine de sex-appeal en adolescent cherchant son genre, mal dans son sexe ; d'un esprit rempli du sel de l'existence où les gens étaient tous cultivés, l'ouvrier lui aussi avait une culture certes différente de celle du docteur ou de l'ingénieur ou du savoir du terroir d'un agriculteur, il y avait un respect même en gens de classe différente et pas de tutoiement, le professeur était Monsieur le Professeur ; pas d'interpellation par le prénom envers son supérieur sous prétexte de convivialité, les valeurs avaient des échelles et étaient respectées avec des considérations et une volonté de mieux faire.

Malgré le déclin de la civilisation occidentale, elle qui a dominé le monde selon les époques par divers pays issus de cette civilisation : l'Angleterre, l'Espagne, la France ; ils ont chacune régné sur une partie du monde avant l'arrivée du pays des super relatifs en tête de cette civilisation j'ai nommé les USA qui se trouve aujourd'hui mis à mal dans son hégémonie par son rival la Chine, les civilisations russe et islamique qui jouent les rôles d'outsiders dans les territoires en mouvance.

Malgré tous les courants idéologiques existants nous arrivons à conserver une identité nous sommes dans la mutation lente d'une civilisation qui devient un exemple comme le furent les cultures grecque et latine dont nous avons tiré une quintessence pour aboutir au siècle des lumières puis à l'ère industrielle avec ses développements scientifiques.

Cependant, l'enfant prodigue de cette troupe occidentale semble être les États-Unis qui en partant tard : au 19e siècle avec une emprise de plus en plus grandissante non seulement économique, mais aussi militaire pour s'établir dans le monde de vie de tout un chacun quotidiennement avec une influence sur l'identité de chacun d'entre nous.

Avec ses discours égalitaires, antiraciaux, anticolonialistes, il n'y a des remises en question que via des mouvements minoritaires issus de l'héritage de sa courte histoire (américaine) et introduit dans toutes les cultures des propos contradictoires et la Vieille Europe est chahutée par ces courants et pourrait être, peut-être, déstabilisée et fragilisée sur ses bases philosophiques, sociologiques, raciales, physiologiques.

La culture américaine : soigne, élève et sème ses courants marginaux afin de couvrir, d'avoir l'hégémonie aussi bien culturel qu'économique sur la planète, elle essaie de créer une vague déferlante dans l'imitation du mouvement hippie à l'aide d'éléments matériels comme le jean, le tee-shirt, le burger, les universités, les blockbusters, médias et réseaux sociaux. C'est par des détails au départ insignifiants comme l'abolition, la disqualification du mot oriental dans le vocabulaire courant ou du mot blanc ; c'est ainsi que dans l'industrie du parfum le mot oriental a disparu, jugé discriminatoire. Mais vu l'importance du marché américain pour l'industrie du parfum celle-ci a remplacé ipso facto le mot oriental existant depuis des lustres par le mot « ambré », il n'a nullement été tenu compte du terme flatteur d'oriental les mouvements féministes y jouant un rôle, alors qu'aucune intention dégradante se trouvait dans la signification de ce mot.

Nous avons les pieds dans un monde qui cherche un semblant d'équilibre, celui-ci se transforme au fur et à mesure, se réforme. Les populations occidentales fortes de leurs supériorités ignorent le phénomène et ne veulent pas se rendre compte des mouvements embryonnaires et marginaux qui ont pour but de déstabiliser les autres afin d'assurer leur hégémonie.

Aujourd'hui notre monde est dans une instabilité, un déséquilibre frappant, malgré les lentes réformes, les volontés affichées tout est embryonnaire et les occidentaux fort de leur supériorité, bien qu'ils se rendent compte pour certains freinent ou ne veulent pas tenir compte de l'état dans lequel notre planète se trouve économiquement, socialement, écologiquement.

Hier, il y avait deux forces en présence : le monde démocratique et le monde communiste.

En 1989, entre ces deux mondes plus de frontière… La démocratie se faisait forte d'avoir gagné. L'on était en droit de croire, d'espérer que le perdant allait se réconforter avec l'esprit démocratique qui aurait dû y émerger. Le néo-libéralisme ainsi que la mondialisation au lieu de cimenter ce nouvel édifice amèneront un déséquilibre plus profond plus sournois en créant des dépendances sujettes à des crises à cause de monopoles mis en place en fonction non d'idéologie mais de profits. Il est un propos d'Hannah Arendt que l'on peut mettre en parallèle et qui est encore totalement d'actualité. Je me permets de la citer :

« Là, dans ces régions privées d'industries et d'organisation politique, où la violence avait les coudées bien plus franches que dans n'importe quel pays occidental, les prétendues lois du capitalisme jouissaient en fait du pouvoir de créer les réalités. Le secret de ce rêve devenu réalité tenait précisément à ce que dorénavant les lois économiques ne faisaient plus d'obstacles à la voracité des classes prépondérantes. »

Aujourd'hui, les deux blocs sont toujours présents, les zones d'influences ont varié, ils agissent de manières différentes, je ne veux que pour exemple la Chine devenue l'atelier du monde, malgré son côté autocratique, la Russie elle a monopolisé certains produits vitaux, tout comme le monde arabe le pétrole…

Tout ce monde s'est jeté dans l'action et la communication (Facebook et TikTok), la course aux énergies fossiles (gaz de schiste, pétrole, gaz, etc.)

Il faut mesurer l'emprise prise par l'ancien bloc disons socialisant dans le monde, des investissements en Afrique, en Amérique du Sud, pourtant ancien fief des USA, il y a quelques pépites économiques et culturelles posées par la Chine au sein même de l'Europe et les USA qui eux sont, restent absents et opportunistes, ils se complaisent dans leur hégémonie fictive de donneurs d'ordres, mais les ramasseurs de trésors sont les pays « ateliers », les alliés dans l'ancien bloc de l'Est en général.

Si la guerre traditionnelle s'est effacée entre les grandes nations de ce monde, elle s'est métamorphosée en guerre financière.

Les valeurs – travail – œuvre – action - communication ; elles aussi prennent une dimension différente entre l'Ouest et l'Est… Si déjà à l'Ouest, ces valeurs (travail et action) sont tenues comme un labeur, un pensum afin de pouvoir obtenir des loisirs, le Graal d'aujourd'hui à l'Occident ; et que l'œuvre et la communication suivent la même déclinaison, que la communication formule sans cesse pour que vous soyez le consommateur idéal qui accepte ce qu'elle propose.

À l'Est, le travail n'est pas un labeur mais une obligation imposée par les partis et le pouvoir, quant à l'œuvre, elle est un éloge permanent de la grandeur du régime politique en place, l'action elle est déterminée, définie par l'État dit providence qui utilise la communication afin de conditionner et obliger les citoyens.

C'est ainsi que nous avons les deux côtés, faces de la pièce de monnaie, nous avons côté pile la démocratie et côté face l'autocratie. Il va de soi que nous préférons au nom de l'humanité et de la liberté la face démocratique et pas celle de la dictature.

Je vous cite les paroles de Xi Jinping, le dictateur le plus courtisé par la démocratie qui omet les actes et faits commis sous son égide, lui le nouvel empereur de cette Chine. Ce sont des conseils donnés par lui pour ses subordonnés concernant les Ouïghours :

– « Une lutte totale contre le terrorisme, l'infiltration et le séparatisme… » ;

– « En utilisant tous les outils de la dictature… » ;

– « Ne montrons absolument aucune pitié… » ;

– « Le virus de l'extrémisme religieux nécessite un long et douloureux traitement… ».

C'est édifiant de clarté, et pourtant le monde entier, bien que le sachant et le marmonnant, vit avec !

Donnez-moi la matière et j'en bâtirai un monde, c'est-à-dire donnez-moi la matière et je vous montrerai comment il en est sorti un monde.

Kant

Sur la planète dite occidentale c'est la productivité, donc le profit, la créativité donc le renouvellement qui eux devenaient dans ce présent des idéaux supérieurs, il suffit de voir les modèles et idoles de l'homme moderne à son commencement, ce sont des normes propres à l'homo faber, suivies par l'homme constructeur et le fabricant créateur.

L'homme cheminera selon ses facultés du « quoi ? » du « pourquoi ? » et du « comment ? », ce cheminement se fit au cours de l'histoire, pierre après pierre et il passa de l'ère des anciens à l'ère moderne avec un passage du domaine de la physique et de la chimie, de la zoologie et de la botanique ; aux sciences récentes de la géologie, de la biologie, de l'anthropologie, de l'histoire naturelle en général à la science nucléaire, génétique et digitale, ceci le moment venu.

C'est un phénomène naturel de l'homo faber d'évoluer sans cesse et de prendre dans la nature. Aussi à la place du concept d'être nous avons mis en place le concept de processus…

Les modernes essaient de remplacer le phénomène attribué à un dieu à eux-mêmes en cherchant dans les labyrinthes de l'existence la justification de leurs démarches. En même temps, ils annihilent la spiritualité au sein de la population qui de ce fait a perdu des repères telles les cathédrales, témoins de la vie spirituelle des civilisations passées, malgré les schismes entre les religions et les révolutions politiques.

Les repères ont, au fur et à mesure de l'avancée de l'industrialisation, disparu du monde occidental, le capitalisme est devenu la religion première pour toute la population occidentale ; les sciences et techniques y ayant fortement contribué : internet – les réseaux sociaux – les smartphones, tout ceci avec une mondialisation développée à outrance ; tout cela avec un but avoué : gagner le plus possible en faisant le moins possible.

Même les régimes non capitalistes vont dans la même direction avec une autorité qui accroît sa puissance en donnant l'illusion aux gouvernés d'avoir une possibilité d'existence privée.

Le capitalisme de surveillance a accaparé avec succès la liberté et le savoir. Il s'est défait structurellement des liens avec les individus. Il faut considérer le capitalisme de surveillance comme une force sociale profondément antidémocratique.

L'intrusion antidémocratique et anti-égalitaire de ce capitalisme nouvelle vague peut être décrite comme un coup d'État fomenté et guidé par l'économie de marché. Ce n'est pas un putsch, un coup d'état au sens propre du terme mais plutôt un coup des gens sur un renversement non de l'État mais du peuple, sous la forme d'un cheval de Troie technologique qu'est Big Brother avec ses fausses promesses alléchantes.

C'est une forme de tyrannie qui se nourrit du peuple, mais hélas ce n'est pas un paradoxe surréaliste, ce nouveau genre est célébré comme un triomphe de la « personnalisation » alors qu'elle souille, ignore, efface et supplante tout ce qui est personnel, original, singulier en vous et moi. Je n'emploie pas le mot « Tyrannie » à la légère, il en va de même pour la ruche instrumentarienne (Big Brother), ils sont tous les deux dans le processus à l'identique : annihiler la politique (anéantir, réduire à néant).

Elle est enracinée dans sa propre filière d'indifférence radicale ; là, tous hormis le tyran lui-même, sont envisagés comme des organismes parmi d'autres organismes, en équivalence à tous les autres.

La tyrannie se manifeste par des messages rassurants, la pression des autres, pas la terreur (goulag dans le temps…) mais par des appels au rassemblement, à la concentration à une fausse union, la voix douce d'Alexa qui répond à toutes vos questions, la télévision qui vous reconnaît et qui vous entend, la maison qui vous connaît et j'en passe…

« Le courage d'Orwell exige que nous refusions de céder le futur à un pouvoir illégitime. »

La tyrannie, disait Hannah Arendt, est une perversion de l'égalitarisme car elle traite tous les individus comme insignifiants :

« Le tyran gouverne en accord avec sa propre volonté, son intérêt, celui qui gouverne seul contre les autres, et ces "autres" qu'il opprime sont tous égaux, c'est à dire impuissants. »

Dans les théories politiques classiques, remarque-t-elle, le tyran n'est pas du tout humain, c'est un loup à visage d'homme. Le but n'est plus la domination de la nature mais de la nature humaine.

En regardant le passé tout comme le présent il y a dans le monde toujours deux grands blocs, le bloc occidental et le bloc oriental chapeauté au nord par la communauté soviétique qui a un pied dans chaque partie et au sud de la planète par une civilisation tribale. L'Asie et l'Occident ont, tour à tour ou en même temps dans des parties différentes, mené ce monde. Déjà du temps de Marco Polo la Chine régnait à l'Est, Venise à l'Ouest, puis la péninsule ibérique sur l'Amérique du Sud, tandis que celle du Nord était devenue une colonie à dominante anglophone…

Si les Amériques ont vécu pour l'une dans l'ibérisation, l'autre dans l'anglophonisation avec pour les deux continents l'élimination d'une manière ou d'une autre des autochtones (mayas, incas, amérindiens…), l'Asie elle est restée immuable, d'une façon ou d'une autre elle est restée un État impérial (Chine) avec une structure du pouvoir qui n'a jamais changé, juste la forme et les termes ; le communisme et le capitalisme y sont apparus, mais là la communication qui est dans notre réflexion, celle-ci peut selon l'envie des dirigeants être totalement ou partiellement bridée ou dirigée. Les GAFAM n'ont pas assez de puissance (en Chine) pour contrer la volonté dictatoriale, ils ne peuvent la contrer. Il en va de même pour le bloc soviétique sous une ambiance de démocratie populaire.

C'est de cette manière que nous retrouvons nos deux blocs : « l'Est et l'Ouest ». Ils sont agencés de la même manière sous des formes différentes avec chez l'un et chez l'autre l'exergue de la liberté et de l'égalité, le bien de la nation dont les agents seraient le peuple.

Si à l'avènement du XXIe siècle l'Europe occidentale essayait de conserver, de maintenir un rang, sa prépondérance culturelle, dite classique, elle ouvrait un nouveau registre, elle se métamorphose peu à peu en musée à ciel ouvert pour tous les non-résidents de son espace continental. La tendance « mondialisation » entraîne insidieusement, sournoisement une perte d'identité, ceci depuis quelques lustres et ouvrait en même temps une place à une ère de multiculturalisme générée par la prédominance dans l'éducation supérieure des universités américaines toujours puritaines et malgré cela à la pointe de l'actualité et de la pensée dite moderne, pensée dans laquelle la recherche d'une identité propre n'est pas achevée, est toujours d'actualité outre atlantique.

Au départ de la création des États-Unis d'Amérique, les autochtones acceptaient la culture anglo-protestante, et subirent les différentes vagues déferlantes d'immigrants venant aussi bien de l'Ouest (Asie), du Sud (Amériques et du sud), sans omettre les flux d'esclaves provenant à l'origine d'Afrique, via les îles Caraïbes, ils étaient destinés aux plantations de coton des États du Sud, ceux qui acceptaient étaient des ex-Hollandais, ex-Irlandais, ex-Italiens (Siciliens) et autres peuples européens de l'est.

Au nom de la liberté l'hégémonie culturelle anglo-saxonne fut, est mise à mal, surtout que l'individu américain est un oublieux, du passé, il n'y fait guère référence et vit dans l'instant.

D'autant plus que les universités de renom ont ajouté de quoi troubler celle-ci avec un enseignement reniant le passé historique, celui des grands hommes ayant fait cet état sans tenir compte des circonstances événementielles du moment passé. Les premières classes dirigeantes de cette jeune nation ont vacillé sur leur piédestal, chaque communauté présente (sauf les Amérindiens) désirait avoir une part de la décision constitutionnellement ou juridiquement.

Au fil du siècle dernier avec les progrès fulgurants des moyens d'information, la course à l'éducation pour être le meilleur, pas la course au savoir, il y a là une grande nuance, les diverses communautés se sont trouvées dans une lutte pour les droits à l'accès, alors que ceux-ci étaient déjà présents constitutionnellement.

De manière fondamentale, le multiculturalisme en cours aux USA est contre la civilisation dite européenne. C'est un mouvement de fond contre un eurocentrisme monoculturel qui avait aux USA provoqué une hégémonie envers les autres ethnies fort nombreuses aussi bien en diversité qu'en nombre d'individus.

La civilisation multiculturelle repose sur différents postulats :

– Premièrement : sur le nombre d'ethnies ;
– Deuxièmement : chacune de ces ethnies possède une culture spécifique ;
– Troisièmement : l'élite blanche anglo-saxonne d'origine a exploité ces différentes ethnies et les a contraintes ou incitées à accepter la culture anglo-protestante d'elle-même ;
– Quatrièmement : la véritable Amérique est une salade composée, il faut que la justice, l'égalité et les droits soient identiques pour chaque ethnie, pour chaque minorité.

L'Amérique ne peut pas, ne doit pas être une société de culture nationale unique et omnipotente. Ce mouvement a commencé dans les années 1970, il a entraîné la réforme de l'école et des institutions éducatives, via une érosion très lente des programmes et l'on a pu le constater dans les programmes des manuels scolaires.

Il faut accepter le constat qui est flagrant et commence entre 1900 et 1970 dont on peut les qualifier en les classant de chauvin à neutre et patriotique puis nationaliste, donc entre 1900 et 1940 les manuels étaient patriotiques avec la touche nationaliste plus prononcée puis primaire, le patriotisme semblait absent. Dans les années 1950-1960 les manuels étaient devenus neutres à très légèrement patriotiques pour tous les niveaux (secondaires et primaires).

Dans les années 1970, un professeur de Harvard constata qu'aucun nouveau manuel d'histoire ne revendiquait comme objectif principal l'éducation au patriotisme, chose que n'avaient pas oubliée les manuels publiés après la Première Guerre Mondiale.

Une étude faite en 1987 vérifiait et témoignait que les étudiants connaissaient davantage Harriet Tubman (esclave qui est devenue une célèbre militante de l'abolitionnisme avant la guerre de Sécession) qu'à savoir que Washington commandait l'armée américaine durant la Révolution et/ou Abraham Lincoln est l'auteur de la Proclamation d'émancipation…

Les rapports concluaient à une disparition de la culture américaine en général et un avènement, une victoire du multiculturalisme dans les écoles publiques.

En raison de ce mouvement dans l'enseignement de l'histoire américaine et de manière collatérale de celle de la civilisation occidentale, les étudiants de premier cycle étaient devenus des ignorants de nombreux évènements déterminants de l'Histoire et des personnages tout aussi importants ayant participé ou assisté à ceux-ci.

C'est ainsi qu'un sondage donna Rosa Park comme connue (surnommée « la mère du mouvement des droits civiques » ; militante aux côtés de Martin Luther King) à 90 % par les étudiants, alors que seulement 25 % étaient capables d'identifier l'auteur des mots :

« Gouvernement du peuple, par le peuple, pour le peuple… (c'est dans le discours d'Abraham Lincoln à Gettysburg…)

Au tournant du siècle, aucun des 50 plus grands établissements d'enseignement supérieur américain n'exigeait des étudiants qu'ils suivent un cours d'histoire américaine.

Au vu de la situation, la présidence des USA a formulé la demande d'un rétablissement, d'une remise à niveau dans les institutions de l'enseignement de l'histoire. Cependant, cette vague dépendra essentiellement du comment, de la situation dans laquelle se trouvera l'Amérique dans le paysage géopolitique mondial.

Hannah Arendt comme Georges Orwell revendiquent la possibilité d'un nouveau commencement qui n'adhère pas à la ligue des pouvoirs déjà visibles.

Hannah Arendt nous rappelle que chaque début, observé du point de vue de ce qu'il a interrompu, est un miracle. La capacité à accomplir de semblables miracles est entièrement humaine, dit-elle parce qu'elle est source de toute liberté ; ce qui d'ordinaire demeure intact dans les époques de pétrification et de fatale prédestination est la faculté de liberté elle-même, la pure capacité de commencer qui anime et inspire toutes les activités humaines et qui est la source cachée de toutes les grandes choses.

Si les menaces extérieures reculent en apparence, au contraire celles-ci sont de plus en plus présentes, les formes elles ont changé, il y a plus seulement la menace terroriste, mais la menace écologiste et la menace culturelle, les trois pouvant s'allier si nécessaire, à l'encontre de la vague que nous avons connue dont l'apogée de l'horreur fut septembre 2001.

Nous constaterons que les mouvements de déconstructivisme pourront naître ou renaître et connaître un nouvel essor (cancel-culture, woke, écologie). En réalité si les menaces extérieures demeurent modestes, intermittentes et équivoques, les Américains pourraient demeurer dirigés quant à la place qu'il convient de réserver à leur Credo (fondé sur les valeurs politiques de la modernité : la foi dans la liberté, le gouvernement constitutionnel, la loi, la démocratie, l'individualisme, l'égalitarisme politique et culturel), avec leurs langues et leurs cultures, dans une identité américaine.

Toutes ces péripéties font que non seulement l'Amérique n'est plus stable, régulière dans son évolution, mais elle génère une ligne de conduite sortie de faits divers dignes de la rubrique des chiens écrasés, en plus elle crée une lame de fond qui franchira les deux océans qu'elle côtoie.

Sa valse-hésitation ne permettra pas à l'Europe ancienne de regagner une place conséquente et significative dans l'échiquier mondial, la Chine continuera à prétendre au leadership détenu par la nation américaine.

Épilogue

Dans toute l'histoire de l'humanité il y a toujours eu deux poids, deux mesures, à l'aube du siècle dernier l'un d'eux était la naissance de la puissance américaine et l'autre l'apparition du bloc soviétique et de ses satellites, la grandeur des deux étant à l'égal de leurs ambitions.

Aujourd'hui, les leaderships de ces deux puissances se trouvent contestés par l'émergence de l'atelier du monde aussi bien politiquement qu'économiquement sur toute la planète. La culture occidentale européenne est mise à mal par la nouvelle société américaine qui est toujours encore en révolte envers son passé et son héritage, alors que l'atelier du monde, c'est-à-dire la Chine, a pris en compte le passé selon la méthode « Sun Tzu », en ne reniant pas la culture occidentale, qui en les exploitant et les sous-estimant a permis à l'atelier du monde de devenir le partenaire indispensable et inévitable dans le monde d'aujourd'hui.

Pour terminer, il faut ajouter à tout cela qu'il n'y a pas, il n'y a aucune facilité à garder, à gérer ses propres repères lorsque vous, votre entourage proche et communautaire recherchez des points d'ancrage alors que la communication, le passage au digital, à l'informatique ubiquitaire (omniprésente) est un des vecteurs principaux de ce que je nommerai le traumatisme de ce début de siècle.

Les cadres les plus essentiels, les plus primaires sont bafoués au nom de faux vrais principes issus des minorités agissantes, qui il faut le reconnaître été dans un passé récent ou proche opprimé malgré les belles déclarations des anciennes démocraties en place ou encore existantes qui elles ont revu aussi bien leurs vues que les lois et sont ouvertes aujourd'hui à la communication et l'amélioration des conditions en général.

Malgré cela, un grand nombre d'individus de tout âge et de tout bord s'y engouffrent, acceptant l'instantané corrigé par ces minorités et préfèrent le virtuel au réel dans le cas d'évasion mentale devenant visuelle ! Il est évident qu'une certaine complaisance pour ne pas dire lâcheté s'est installée de manière pérenne, les penseurs qui sont dans le réel sont traités de « Réacs », d'empêcheurs d'avancer, de fascistes, simplement ces gens perçoivent les véritables réalités alors que le reste de la population s'adonne au virtuel et au loisir, en toute connaissance de cause vu l'éducation qu'elle a reçue.

Ils omettent sciemment nombre de vérités pourtant connues ou plutôt qui devraient être connues si l'éducation avait été prodiguée de manière à donner et permettre le savoir à la population.

Ô combien il serait profitable pour toute notre société si nous utilisions les prouesses technologiques actuelles avec un parti pris pour le « Bon Sens », ce qui permettrait de réorienter beaucoup de trouvailles dans un sens humain et écologique bénéfique pour toute la planète !

Il faut ressortir un mot mis au placard, aux oubliettes depuis des décennies, c'est tout simplement le mot « recentrage ». Il nous demande dès que nous l'utilisons de se mettre en mode réflexion, puis suivra le mode action ; car jamais aucune situation n'est figée, les éléments extérieurs naturels et les éléments provoqués par l'humain s'emploieront à faire évoluer une situation et avec le mode recentrage et l'action qui en découle, nous pourrons, serons en permanence dans une actualité de questionnement, de réalité et de choix délibérés pour le bien-être de l'individu, ce qui amènera celui de la société et celui de la nature si les questions posées le sont bien justement et si les réponses sont mises en œuvre sans avoir subi une influence issue des sociétés affichant une volonté de pouvoirs et de profits abusifs.

Il y a une très grande différence entre les discours d'hier et d'aujourd'hui, actuellement les politiques prônent des mises en œuvre qui si elles se veulent progressistes sont à mettre dans la case « des œuvres destructives » elles ne sont aucunement positives et constructives, elles sont toutes dans le rejet du passé et pourtant c'est grâce à lui que nous en sommes là, avec des progrès sociologiques, scientifiques, technologiques et industriels sans précédent.

En faisant appel à un petit brin de mémoire il suffit de se projeter dans le passé récent des années 1950 à 1970, il y avait encore bon nombre de gens, la population rurale était à 41 % pour diminuer à 29 % en 1969 et être à 19 % en 2020, la manière de vivre était un amalgame de travail à la campagne (petite ferme) et d'un emploi provenant d'une collectivité ou d'une institution comme la SNCF (maintenance, gardes-barrières, etc.) ; ils géraient le temps entre le travail de salarié et celui de fermier qui s'occupait de son poulailler, de son petit élevage de cochons (2 à 3) et des quelques arpents de céréales, sans oublier son potager et champ de pommes de terre, lors des récoltes et moissons les citoyens du village s'entraidaient et lors de l'abattage du cochon tout le monde était mis à contribution et invité. Les nécessités alimentaires étaient comblées, il y avait un circuit biologique logique, la nourriture nourrissait les futurs nourrissants sans aucun engrais chimique, tout était naturel et presque aucune pollution automobile, il y avait un tracteur commun pour tous, le grand fermier contribuait au bien-être de la population villageoise, en fait tout était « Bio » et la plupart d'entre eux avaient une espérance de vie de 60 à 65 ans maxi !

Il faut reconnaître que c'est difficile à comprendre, nous vivons actuellement avec une production intensive, avec engrais et automobiles, un nombre moindre de ruraux, nous avons cependant grâce aux développements techniques et scientifiques rallongé l'espérance de vie de 20 ans…

Nous aurons connu les progrès de la communication, de la technologie domestique, industrielle, scientifique, sociale mais cela n'empêchera pas la perte du goût de l'effort, du respect du travail et de l'autre. Le savoir en général se crétinisera, le seul domaine épargné sera celui des loisirs et du sport.

Grâce au progrès et la possibilité de communication et d'information, aujourd'hui tout est disponible, tout est archivé, tout est mis en mémoire, il suffit de chercher pour trouver la réponse, il faut le vouloir et être affûté, mais la réponse est toujours trouvable à votre question.

Il y aura toujours un esprit plus affûté que les autres qui trouvera le tout et son contraire, les deux étant présents dans les données numériques disponibles.

Toutes les politiques économiques, sociales, écologiques sont établies en fonction du rapport qualité/production/coût, avec une préférence pour le dernier facteur en rapport avec le bénéfice qui est devenu un crédo de notre civilisation.

L'homme a évolué au fil du temps, il est passé des stades : « vita activa, vita contemplatis, homo faber, animal laborans ». Ces différents stades se sont mêlés dans l'espace et dans le temps en fonction des évolutions sur les différents continents.

Si aujourd'hui nous sommes au début de l'ère de « l'intelligence artificielle », la machine fabrique des machines, nous ne faisons qu'élaborer et définir les critères du produit et sa production. Autrement, nous subissons de la manière la plus dérisoire dans un déni d'une action quelconque, d'une œuvre éventuelle, nous nous sommes placés dans une sorte d'arène de jeux dans laquelle nous acceptons toutes les règles de ce jeu moderne.

Pourtant l'individu, l'homme est capable de raisonner, de penser, de créer, il y a juste la volonté que celle-ci soit présente et aille dans le sens d'un recentrage vers l'essentiel et que l'on ne s'égare pas dans des labyrinthes nombreux, offerts et proposés dans laquelle l'oisiveté est présente en permanence.

Ils sont nombreux les instituts, les prestataires de tout genre tels les GAFAM à jouer sur la préférence de notre individu moderne à être dans la culture du moindre effort aussi bien intellectuel que physique et ils jouent sur leurs catalogues de fichiers, profils qu'ils ont constitués grâce à notre paresse.

Nos vies sont ainsi mises à nu, épluchées et monnayées pour financer leur propre liberté et générer du profit le tout par notre soumission passive. Ils savent et nous font ignorer.

Dans notre passivité, oisiveté, paresse nous leur donnons à partir de notre volonté de non-activité tout l'engrais et semence nécessaires à ce que nous soyons de plus en plus pris dans le carcan de la numérisation, ils captent tous les détails, qu'ils soient publics ou d'ordre privé. Tout est fait, mis en œuvre, mis sur les réseaux ! l'aspect « liberté » est mis en avant malgré que chaque mouvement amène à un encartage pire que du temps de la Stasi en R.D.A. où il y avait des lacunes dans le temps et dans l'espace qui aujourd'hui sont réduites à néant. De nos jours avec Alexa, Apple Home, Netflix, Prime-Vidéo, Amazone, Google, Microsoft, les smartphones, les tablettes, les portables, la télévision qui vous écoute ! les réseaux sociaux, l'automobile et la carte de crédit vous êtes aussi transparents que du verre blanc. En plus, ils s'organisent et recoupent, regroupent tout votre profil et revendent celui-ci.

Selon les architectes de Big Brother, les murs de la maison devraient être abattus… Ces murs qui nous ont permis d'apprendre à vivre, d'explorer l'espace, le monde et d'y retrouver un havre de paix. Le besoin d'un nid, c'est pour Big Brother une vielle idée désuète, le monde lui selon ses désirs devrait s'installer dans nos murs qui ne seront plus ni les nôtres, ni des remparts. Il n'y a plus de murs, plus de portes, tout est ouvert à tout le monde. Le capitalisme de surveillance impose contrairement à l'individualité la vie de ruche.

Il est malheureux que nos sens s'engourdissent et s'accoutument à la monstrueuse présence de Big Brother (présent dans la télévision, dans la voiture, dans la rue, dans les téléphones, dans les portables, dans la maison, dans les divertissements, etc.).

Avec tout cela la conséquence de la perte de notre triangulation : travail-œuvre-action, la déliquescence de l'économie de marché et de son rejeton l'économie néo-libérale, le capitalisme de surveillance s'est emparé avec succès de la liberté et du savoir. Il s'est défait de tout lien structurel avec les gens (ce sont les amis virtuels de Facebook par exemple…) et il nous propulse vers une société, une espèce de termitière, un conglomérat dans lesquels le capitalisme ne fonctionne plus comme un outil d'accès à l'économie ou aux institutions politiques, il agit comme une force sociale profondément antidémocratique. Il existait, pardon, il existe encore, elle est présente une pensée de Karl Marx qui précisait : « Les plus importantes thèses sont que dans une – humanité socialisée –, – l'État dépérirait – et que la productivité du travail deviendrait si grande que le travail pouvait disparaître, assurant ainsi une quantité de loisirs presque illimitée à chaque membre de la société. »

Nous pouvons considérer que nous sommes entrés dans cette ère qui avait été prédite par Karl Marx.

Nos comportements alimentent cette nouvelle forme de capitalisme, cette nouvelle architecture sociétale qui est totalement immergée dans le digital, sauf Amazone qui est obligé de gérer des aires de stockage réel, et l'image de ces sociétés d'un genre nouveau est donc difficilement appréhendable.

À titre d'exemple dans les années 1950, 80 % des personnes adultes estimaient que les « grandes entreprises » sont une bonne chose pour le pays ; 66 % pensaient que cet état de choses est satisfaisant ou assez satisfaisant ; 60 % enfin que les profits amassés par ces grandes entreprises étaient justifiés, contribuaient au bien-être de tous ceux qui achètent leurs produits ou leurs services.

Aujourd'hui les sociétés dites grandes sont devenues mondiales, tentaculaires, difficilement à remettre dans un cadre social normal, en effet il est difficilement concevable qu'un dirigeant d'une de ces entreprises puisse rivaliser avec une institution comme la NASA, pardon ils sont au nombre de de deux. Il faut admettre que le monde devient ubuesque ; le privé dépasse le public et s'octroie une partie de l'espace. En plus l'individu lambda est aujourd'hui un être qui n'est pas éduqué dans un savoir, une culture correcte…

Il serait magique si l'on pouvait appliquer une règle bien simple : une place pour chaque chose et chaque chose à sa place et si nous arrivions à cultiver et respecter les différences qui sont nos richesses. Cela paraît simple, mais ce bon sens commun est utopique et pourtant nécessaire à la survie.

Il faut noter que si l'on tient compte de la trilogie dont nous parlons dans l'ouvrage : travail-œuvre-action ; nous pourrions avoir une ambition, avoir un but dans notre existence en l'absence d'une religion car la science démonte sciemment le social, fait reculer notre espace réservé au spirituel.

Aussi nous sommes là et notre seul pouvoir, le seul que nous pouvons avoir est de contrôler nos actes, de cultiver notre savoir, d'améliorer notre capacité de réflexion et de pouvoir penser sans aucun apport de virtuel.

C'est une tâche difficile car tout va dans le sens opposé, à cet encontre les institutions, nos achats, les lois, les lobbies, les tendances sociologiques, il faut constater que nous sommes le pot de terre et eux le pot de fer, mais je suis convaincu que le jeu en vaut la chandelle, alors pourquoi ne pas essayer cette utopie, chercher ce trésor.

Il est possible, et l'on fait tout pour, que nous ne soyons plus capables de nous poser les questions qu'il faut, le pourquoi, le comment, le quand, afin de gérer notre trilogie travail-œuvre-action ;

la communication nous noyant dans la masse générée par nous-mêmes, dans un esprit de paresse et de voyeurisme. En faisant fi de cette communication, en restant en dehors de celle-ci et si par le plus grand des hasards nous arrivions à être nombreux, nous arriverions à avoir des comportements particuliers à chacun et donc bienfaiteurs pour soi-même, donc pour les autres, et au final bienfaiteur pour le monde et son environnement.

Table des matières

Imprimé en Allemagne
Achevé d'imprimer en octobre 2022
Dépôt légal : octobre 2022

Pour

Le Lys Bleu Éditions
40, rue du Louvre
75001 Paris